sg·feb·03

L'ÉTINCELLE ZAPATISTE

JÉRÔME BASCHET

L'ÉTINCELLE ZAPATISTE

Insurrection indienne
et résistance planétaire

© 2002, by Éditions Denoël
9, rue du Cherche-Midi, 75006 Paris
ISBN 2-207-25184-5
B 25184-0

Le présent livre renferme l'écho de maintes lectures et conversations. Qui le signe l'assume, mais veut indiquer que s'y est tissé un réseau de voix, dont il est juste de faire, collectivement au moins, reconnaissance.

Ana Esther Ceceña, Antonio García de León, Yvon Le Bot, Michael Löwy et Marc Tomsin ont bien voulu lire une première version de ce texte et m'ont permis de l'enrichir grâce à leurs commentaires critiques. Qu'ils en soient vivement remerciés.

À Rocío Noemí, qui partage chaque ligne de ce livre, et surtout chacune des expériences qui lui ont donné forme et vie, ce texte ne saurait être seulement dédié ; il est sien autant que mien.

Le moment du zapatisme

> «Le zapatisme n'est pas une nouvelle
> idéologie politique, ni un réchauffé de
> vieilles idéologies. Le zapatisme n'est
> pas, n'existe pas. Il se contente de servir,
> comme servent les ponts, pour traverser
> d'un côté à l'autre. C'est pourquoi, dans
> le zapatisme, tous ont leur place, tous
> ceux qui veulent traverser d'un côté à
> l'autre... Il n'y a ni recettes, ni lignes, ni
> stratégies, ni tactiques, ni lois, ni règle-
> ments, ni consignes universelles. Il y a
> seulement une aspiration : construire un
> monde meilleur, c'est-à-dire neuf. En
> résumé : le zapatisme n'appartient à per-
> sonne, et pour cela, il est à tout le
> monde.»
>
> Sous-commandant Marcos
> (5 mai 1996).

Dans certains pays comme la France, le soulèvement zapatiste, qui s'est fait connaître le 1er janvier 1994, n'a donné lieu le plus souvent qu'à une vision extrême-ment étroite, partagée entre une série d'images d'Épi-nal sympathiques et diverses caricatures cyniques. Les uns y voient la résurgence d'une sagesse indienne immémoriale, issue du fond des âges, voire de l'innocence du paradis perdu, et se prennent à rêver d'une vie réconciliée avec la nature et d'une harmonie communautaire libérée du poids de la mauvaise conscience occidentale. D'autres se gaussent d'une archéo-guérilla hors de saison, relevant d'un folklore nostalgique et alimentant le tourisme révolutionnaire des déçus de toutes les épopées antérieures. Surgissent aussi les sarcasmes qui ironisent sur une cyber-guérilla plus ou moins postmoderne, sur une « guerre de papier » dans laquelle les balles sont remplacées par les mots, et le combat de terrain par l'affrontement virtuel sur le web. Il s'agit là d'un thème vite lancé par le ministère mexicain des Relations extérieures et exploité avec une belle fringale par les médias et leurs serviteurs pressés. C'est que l'aubaine est parfaite pour le grand spectacle de la communication, trop heureux de virtualiser un mouvement social massif et d'occulter les rebelles derrière l'écran du médium qui symbolise son propre triomphe. Du reste, de la cyber-guérilla, on en vient inévitablement à gloser sur la mode médiatique suscitée par la personnalité du sous-commandant Marcos et son art de la communication. Pourtant, le zapatisme médiatique n'est qu'une invention des médias eux-mêmes, une ruse du spectacle ambiant qui s'efforce de neutraliser ses ennemis en les façonnant à son image.

S'opère ainsi une réduction typique de la logique médiatique qui, pour désarticuler les réalités sociales et les rendre incompréhensibles, concentre tous les projecteurs sur le fait individuel. Il ne reste plus alors du zapatisme que Marcos, adulé par ses fans et dénoncé par les propagandistes néolibéraux comme un manipulateur machiavélique. De toute manière, il est impensable qu'un mouvement indigène ne soit pas dirigé par un chef blanc, qu'il s'agisse du sous-commandant ou de Samuel Ruiz, l'évêque «rouge» de San Cristóbal de Las Casas. Se répète ainsi le mépris multiséculaire des dominants pour les mouvements populaires, réputés incapables de s'organiser eux-mêmes et ainsi dépossédés de leur histoire, jusque dans leur révolte. Dans le cas du soulèvement zapatiste, s'y ajoute la volonté d'ignorer l'existence d'un puissant mouvement social indigène et paysan, engageant des centaines de milliers d'hommes et de femmes, dont la formation et l'essor traversent l'histoire du Chiapas depuis les années 70 au moins.

Toutes ces visions, qu'elles soient suscitées par la mauvaise foi des défenseurs du *statu quo* ou seulement par l'étroitesse de vue et la naïveté d'une information désinformée, empêchent de comprendre l'importance du mouvement zapatiste. D'où le présent livre, qui voudrait s'efforcer de remédier un tant soit peu à une telle situation. Pour autant, on n'abordera guère ici l'histoire du soulèvement et ses développements depuis 1994 : d'autres ont entrepris ou entreprendront cette tâche avec plus de compétence. Ce à quoi on prétend est plutôt une tentative pour cerner la contribution du mouvement zapatiste à la reconstruction d'une réflexion et d'une pratique critiques, à la fois radicales et rénovées. Cet apport est remarquable et il convient de l'analyser avec attention pour en tirer tout le bénéfice souhaitable. On ne saurait cependant figer le zapatisme en une quelconque vulgate, ni même prétendre offrir un exposé autorisé de la « théorie » ou de la « pensée » zapatiste. Car, comme le souligne l'épigraphe de cette introduction, nul ne peut prétendre parler au nom du zapatisme pour en énoncer la vérité, sans contredire la nature même de ce que le mouvement zapatiste prétend être et ne pas être (aussi s'efforcera-t-on, au fil de ces pages, d'éviter dans la mesure du possible de parler du zapatisme – sinon par un abus de langage commode –, préférant évoquer les zapatistes ou le mouvement zapatiste). De ce refus d'être enfermé dans une définition, il faut tirer parti positivement, non pour se bercer des confortables facilités d'une pensée vague et attrape-tout, mais pour tenter de faire résonner et si possible de prolonger le processus créatif ouvert par le soulèvement du 1er janvier 1994. Les pages qui suivent doivent donc être assumées comme un ensemble de propositions personnelles, s'efforçant de faire valoir l'importance du mouvement zapatiste sans pour autant en méconnaître les limites, de valoriser son apport tout en se souciant de contribuer à sa critique.

L'une des forces du zapatisme est sans doute d'être arrivé au bon moment. En apparence, le soulèvement du 1er janvier 1994 surgit à contretemps. Comme le raconte Marcos, les rebelles savaient que le contexte mondial ne pouvait pas être plus défavorable pour un soulèvement armé : la chute du mur de Berlin, le triomphe des politiques néolibérales, l'affaiblissement des luttes sociales, la défaite ou le déclin des guérillas centraméricaines, la supposée « mort du marxisme » et du projet révolutionnaire, la proclamation de la « fin de l'histoire »... Le temps était à la culture d'entreprise, à l'apologie de la réussite individuelle et du profit, au désenchantement, à la résignation et au conformisme. C'est bien pourquoi la révolte du 1ᵉʳ janvier 1994 a surpris tout le monde et a pu apparaître, surtout vue d'Europe, comme un épisode suranné ne méritant guère que quelques mentions sarcastiques. Pourtant, à quelques années de distance, il est possible d'adopter une perspective différente et de considérer 1994 comme l'une des premières manifestations mondiales d'une résurgence des luttes sociales et de la pensée critique, désormais centrée sur la dénonciation du néolibéralisme. Le soulèvement zapatiste interviendrait ainsi au moment où la vague conservatrice des années 80 (marquée autant par les figures emblématiques de Reagan et Thatcher que par les gouvernements « socialistes » de Mitterrand et González et, au Mexique, par les mandats néolibéraux de De la Madrid et Salinas de Gortari) commence à manifester quelques signes de reflux. Non qu'elle n'ait continué à déferler dans les années suivantes, mais du moins ne pouvait-elle plus s'avancer aussi cyniquement, sûre de ne rencontrer aucune résistance et de pouvoir compter avec une apathie acritique généralisée.

Ainsi, la seconde moitié des années 90 connaît une timide renaissance des formes collectives de lutte (depuis les grèves de décembre 1995 en France jusqu'aux protestations contre la mondialisation inaugurées à Seattle, à la fin de 1999) et l'ébauche d'une nouvelle réflexion critique, jetant quelques grains de sable dans la machine trop bien huilée de la pensée unique néolibérale, qui paraissait jusque-là intouchable et infaillible (voir par exemple le succès du *Monde diplo-*

matique ou de l'association Attac, la multiplication
d'ouvrages y compris sous forme de best-sellers dénonçant l'horreur économique, ou encore l'écho suscité
par les livres et les films de Michael Moore). La Rencontre intercontinentale pour l'humanité et contre le
néolibéralisme, organisée par les zapatistes en 1996, est
sans doute l'un des premiers signes de cette reprise
d'une activité critique internationaliste, après des
décennies de sommeil profond.

1994 répond donc à 1989. Marcos le dit explicitement
au moment de suggérer l'idée d'une réunion à Berlin
des comités européens de solidarité avec le mouvement zapatiste. 1989 et le Mur, symboles de la fin de
l'histoire autoproclamée au profit du capitalisme
triomphant : c'est donc là qu'il faut aller pour dénoncer ce mensonge et obliger l'histoire à reprendre sa
marche. 1994 prolonge son écho comme l'anti-1989,
comme un indice (un « symptôme », selon le terme par
lequel Marcos définit le soulèvement zapatiste) doté
d'une répercussion internationale certaine, fissurant
l'illusion du triomphe éternel du monde actuellement
existant et mettant de nouveau à l'ordre du jour la
réouverture d'autres horizons. Il faut pourtant dissiper
une possible équivoque : 1989-1991 n'est une charnière
fondamentale que pour les adeptes du capitalisme,
enivrés et quelque peu aveuglés par leur triomphe – à
double tranchant – sur l'empire du mal, et aussi pour
leurs adversaires supposés qui pensaient que les pays
du « socialisme réel » avaient réellement quelque chose
à voir avec le socialisme. Si au contraire on admet que
la guerre froide n'était que le théâtre, certes sanglant et
menaçant, où s'affrontaient deux compères rivaux

mais ayant le même intérêt à maintenir l'ordre général du monde, si l'on admet de surcroît que l'échec de l'expérience révolutionnaire soviétique remonte aux années 20, alors 1989, tout en recomposant profondément la géostratégie planétaire, apparaît essentiellement comme la fin d'un jeu de dupes.

Un renversement de tendance plus important doit être situé dans l'après-68 et en particulier dans les années 1972-1974. Alors, la crise pétrolière et la fin des décennies glorieuses de l'après-guerre, dominées par la croissance économique et l'action de l'État redistributeur, coïncident avec le passage d'un cycle favorable à la conscience révolutionnaire et aux mobilisations sociales à une désintégration de la pensée et de la pratique critique, laissant place à la résignation cynique ou désabusée de l'ère postmoderne. S'instaure alors un nouveau rapport de force beaucoup plus favorable au capital – le moment où tombent les masques vermoulus des momies bureaucratiques de l'Est étant l'apogée de cette nouvelle donne et l'occasion rêvée pour mettre en scène le triomphe des maîtres du monde.

Dire que 1994 répond à 1989 devrait donc signifier ceci : cette date-là fait front à la *période* dont 1989 est l'apogée et le symbole. On manque encore de recul pour l'affirmer en toute certitude, mais du moins est-il possible de penser que 1994-1996 inaugure un nouveau cycle, que cette date est l'indice d'une reprise de la pensée critique et d'une réaffirmation des formes de résistance collective, annonçant ainsi la fin du cycle ouvert en 1972-1974. Si cette hypothèse est correcte, la relation entre 1989 et 1994 est donc dissymétrique : la première date est le point le plus accompli d'un cycle,

comme 1968 l'était pour la période antérieure, tandis
que la seconde est l'amorce d'un fragile départ (plus
comparable à un seuil comme 1972-1974, lorsque la
destinée des nouvelles tendances était encore difficile
à percevoir et à interpréter).

Si le zapatisme peut marquer l'amorce d'une reconstruction des forces critiques, il faut aussi marquer les
limites de celle-ci. Jusqu'à preuve du contraire, le nouveau cycle que l'on croit entrevoir à partir de 1994 ne
signifie nullement une inversion de tendance : le capitalisme mondialisé continue d'exhiber les signes de
son extrême puissance ; la marchandisation généralisée du monde poursuit avec vigueur son offensive et
gagne sans cesse du terrain ; le néolibéralisme impose
sa dure loi aux peuples du monde en termes de pau-
périsation, de chômage, de flexibilité et de dégradation
des conditions de travail. À l'extrême force du capitalisme, répond la grande faiblesse des luttes menées
contre lui : en dépit des signes de reprise qui justifient
que l'on fasse l'hypothèse d'un nouveau cycle, les
conditions créées par le néolibéralisme favorisent la
division et l'éclatement des forces sociales, tandis que
la domination spectaculaire maintient la grande majorité des populations dans une apathie désabusée, dans
des vies inquiètes et grises, tiraillées entre les besoins
matériels irrésolus, un individualisme poussé parfois
jusqu'à la démence, et une angoisse sécuritaire entretenue avec délectation par les médias pour le plus
grand bénéfice de l'État policier et de ses sous-traitants
privés. En bref, le constat suivant reste valide : la
nécessité d'une transformation radicale de la société
n'a jamais été aussi grande, mais les moyens pour y

parvenir n'ont jamais fait aussi cruellement défaut qu'aujourd'hui.

Il n'est donc pas étonnant de constater que, si le zapatisme contribue à une reconstitution des forces critiques, il pense essentiellement sa stratégie sous l'espèce de la *résistance*. Le zapatisme se définit, en compagnie d'autres mouvements comparables, comme une «poche de résistance», au milieu de la domination généralisée du capitalisme néolibéral. La déroute et le dépassement du capitalisme ne semblent pas encore à l'ordre du jour ; mais cette position, en apparence modeste, ne fait que tirer lucidement les conséquences d'un rapport de forces éminemment défavorable. Dans le même temps, il est clair que les ambiguïtés et les incertitudes d'un tel contexte ne peuvent que limiter le potentiel d'un mouvement critique et la clarté de ses avancées. C'est sans doute la source fondamentale des limites de l'effort zapatiste. Au total, le moment du zapatisme est celui d'une remise en marche de forces critiques qui, de nouveau, savent nommer leur ennemi et lui déclarer la guerre : c'est désormais le néolibéralisme, dernier-né des fils monstrueux du capitalisme, raflant la vedette à l'impérialisme, son frère presque jumeau qui, il y a peu encore, accaparait toute l'attention. Mais il s'agit d'un mouvement plus fragile qu'au temps des luttes anti-impérialistes, d'une reprise incertaine d'elle-même et doutant des chemins à emprunter, ce qui tout à la fois impose certaines limites et peut s'avérer porteur de vertus méconnues durant la période antérieure.

Tel est le moment que nous vivons et dont le zapatisme peut nous aider à anticiper le sens. On peut s'emparer de lui comme d'un appui pour s'efforcer à cette reconstruction – ou plutôt à cette nouvelle construction –, sans pour autant qu'il fournisse une ultime vérité et une énième doctrine prête-à-penser. Et du reste, on peut voir, dans l'indéfinition revendiquée par le mouvement zapatiste, la modestie prudente d'une activité critique qui se sait et se veut moins sûre d'elle-même, ainsi que la sagesse lucide qui sied au moment initial d'un processus émergent. Mais, déjà, le zapatisme semble nous orienter dans la voie d'un double dépassement historique. Car s'il est évident qu'on ne saurait laisser intact le moindre vestige des forteresses totalitaires et des certitudes carrées d'un marxisme doctrinaire, qui ont tragiquement dominé le siècle écoulé, il est tout aussi décisif de surmonter l'épreuve inverse qui, par réaction, lui a succédé, c'est-à-dire le marécage postmoderne au milieu duquel le siècle a pris fin : la déconstruction s'imposant sur les ruines des édifices réputés infaillibles, la pensée faible triomphant après les rigides élaborations d'un holisme arrogant, la fragmentation et la métaphore de l'archipel après les dévoiements d'un effort de pensée globale, une résignation déprimée ou cynique après les illusions de l'espérance et de l'utopie.

Le moment du zapatisme, c'est l'amorce de ce double dépassement. Certes, puisqu'il s'agit de l'esquisse d'un tel processus, il est presque inévitable que l'on retrouve à l'œuvre dans le mouvement zapatiste des éléments non dépassés des deux phases antérieures (c'est sans doute ce qui laisse prise à la thématique, excessivement partielle, de la guérilla postmoderne, tout comme à la dénonciation inverse et de vues non moins courtes d'un crypto-guévarisme masqué par un langage séduisant). Pourtant, l'importance du mouvement zapatiste tient à son apport réel à ce double dépassement, même si, une fois encore, on doit reconnaître qu'il reste inabouti. Ce dont il s'agit, c'est, sur la lancée du mouvement zapatiste, de sortir du marécage, sans pour autant nous réinstaller dans les lugubres forteresses d'antan.

PROLOGUE

Brèves remarques
sur le processus formatif de l'Ezln

C'est très succinctement que l'on évoquera la formation et le développement de l'Ezln (Armée zapatiste de
libération nationale), ainsi que le contexte dans lequel ils
se déroulent, renvoyant aux nombreux ouvrages abor-
dant cette question. On ne peut cependant ignorer totalement ces aspects, ne serait-ce que pour rectifier une
erreur de perspective volontiers entretenue par la dés-
information médiatique : non seulement on ne saurait
réduire l'Ezln à la seule personnalité du sous-commandant Marcos, mais surtout il faut comprendre que le
zapatisme ne naît pas le 1ᵉʳ janvier 1994 et qu'existe alors,
derrière et autour de lui, un ample mouvement social,
fort de vingt ans au moins de luttes et d'expériences
accumulées par les paysans indigènes du Chiapas.

Les origines du mouvement social au Chiapas

Aujourd'hui encore, le Chiapas, marge méridionale
et lointaine, est l'un des trois États les plus pauvres (et
les plus indigènes) de la République mexicaine. Il accu-

mule les tristes records en matière d'analphabétisme, de dénutrition, de mortalité infantile et de mortalité pour maladies infectieuses et respiratoires, de carence d'équipements domestiques (eau, électricité, etc.). C'est que le Chiapas n'a bénéficié qu'avec retard et toujours partiellement des acquis agraires de la Révolution mexicaine, en raison du contrôle politique et social exercé par une oligarchie extraordinairement conservatrice et raciste que l'on surnomme « la famille chiapanèque ». Dans les années 1970 encore, existent dans les grandes propriétés (fincas) des formes d'exploitation de la main-d'œuvre indigène dignes du féodalisme : les *peones acasillados* sont réduits à une sorte de servitude car, payés en jetons valables uniquement dans la boutique du maître, ils contractent des dettes qui, transmises de génération en génération, imposent un attachement au sol impossible à rompre (on se rappellera aussi, pour les décennies antérieures, les conditions de vie des indigènes travaillant pour les entreprises d'exploitation du bois, décrites par le roman de Traven, *La Révolte des pendus*). Et, lorsque la modernisation parvient enfin au Chiapas, dans les années 70 et 80, elle prend le plus souvent une forme excluante qui accentue les difficultés : la construction d'immenses barrages hydroélectriques prive les paysans de centaines de milliers d'hectares des meilleures terres, tandis que l'orientation vers l'élevage extensif, grand consommateur de terres, multiplie les conflits entre les éleveurs, pour l'essentiel métis, et les agriculteurs (indigènes). Enfin, dans la Selva Lacandona, encore presque déserte dans les années 40, le processus de colonisation s'accélère dans les années 60 et 70, promu par le gouvernement qui y voit un moyen facile pour diminuer les tensions agraires dans les régions peuplées de l'État, tout en évitant d'affecter les intérêts des grands propriétaires. Mais la solution se révèle de courte durée, car les nouveaux occupants doivent bientôt se mobiliser pour exiger les équipements promis mais jamais réalisés, et surtout, lorsque le président Echeverría signe, en 1972, un décret qui crée une « zone lacandone » de 600 000 hectares, concédée à 66 familles lacandones (groupe indigène très réduit, occupant la Selva depuis plusieurs siècles), sans considérer le fait que des dizaines de milliers de Tojolabals, Tzotzils, Chols et Tzeltals s'étaient installés sur une partie de ces terres, à l'incitation du gouvernement lui-même. La lutte contre cette décision est l'un des détonateurs de la mobilisation sociale dans la Selva Lacandona.

À partir du début des années 70, on constate une forte affirmation des revendications et des luttes paysannes. À ce processus, contribue de manière déterminante le Congrès indigène tenu en octobre 1974 à San Cristóbal en l'honneur de Bartolomé de Las Casas, et dont l'évêque Samuel Ruiz accepte d'assumer la responsabilité à condition qu'il soit organisé par les indigènes eux-mêmes. Au terme d'une longue phase de rencontres régionales au cours de laquelle est rassemblée la parole indigène, le Congrès réunit 1 230 délégués tzotzils, tzeltals, chols, tojolabals, ainsi que des autres groupes ethniques du Chiapas, et fait le bilan de récriminations largement partagées : exploitation dans les *fincas* et maintien des *peones acasillados*, invasions de terres par les éleveurs, non-application des résolutions présidentielles concédant des terres aux communautés, à cause de fonctionnaires corrompus qui accablent les indigènes de leur mépris et s'emploient à susciter des conflits en attribuant deux fois les mêmes terres. C'est aussi à travers les revendications formulées dans quatre secteurs (terre, commerce, éducation et santé) que le Congrès constitue un moment fondamental révélant aux indigènes leur force, dès lors qu'ils ont conscience de partager les mêmes problèmes et les mêmes aspirations. Comme l'exprime alors un délégué tzeltal : « Maintenant, frère Bartolomé n'est plus en vie, c'est seulement en son nom que nous faisons ce Congrès, mais nous n'en attendons plus d'autre (...) C'est à nous tous d'être le nouveau Bartolomé : nous y parviendrons lorsque nous serons capables de défendre notre organisation, car l'union fait la force. » De fait, les années suivantes voient naître d'importantes organisations paysannes indépendantes : ainsi, dans la Selva, dès 1975, la *Unión Quiptic*, puis en 1980, à une échelle plus ample, la *Unión de uniones*, qui se transforme en *Asociación rural de interés colectivo* (ARIC) en 1988, mais aussi dans les autres zones du Chiapas, où jouent un rôle notable la *Central independiente de obreros agrícolas y campesinos* (CIOAC) créée en 1975 dans la région de Los Altos, et la *Organización campesina Emiliano Zapata* (OCEZ), formée en 1982 sur la base d'une expérience antérieure (Dépression centrale et nord de Los Altos).

Trois courants convergent dans ce processus d'organisation qui est le terreau où va s'enraciner l'Ezln. En premier lieu, il faut insister sur l'action pastorale de l'évêché de San Cristóbal, inspirée, à partir de la conférence de Medellín tenue en 1968, par la théologie de la libération. Parmi ses principes, on retiendra l'«option préférentielle pour les pauvres», qui encourage la critique des réalités sociales présentes et promeut la prise de conscience et l'auto-organisation des opprimés, acteurs de leur propre histoire luttant pour leurs revendications matérielles, politiques et culturelles. Se manifeste aussi la volonté de créer une pastorale indigène, valorisant la présence de la parole divine au sein même de la culture indienne, et diffusée par un réseau de catéchistes et de diacres formés et ordonnés par l'évêché, mais issus des communautés et choisis par elles. Davantage encore que dans Los Altos, où les formes d'organisation sont souvent plus indépendantes de l'Église, son terrain de prédilection est la Selva, où il faut organiser des groupes de colons d'origines diverses, en situation d'insécurité et de fragilité. L'évêché adopte à cet effet une théologie de l'Exode faisant de la Selva une nouvelle terre promise («Dieu veut que nous sortions vers la liberté [c'est-à-dire en quittant les *fincas*], comme l'antique peuple juif») et parvient à conférer à ces pionniers une unité communautaire, grâce à une combinaison de la tradition indienne et de l'idéologie chrétienne de la fraternité spirituelle. De manière générale, l'évêché promeut dans les communautés un travail de réflexion et d'organisation, dont les diacres et catéchistes sont les principaux ferments. Le principe de cette action pastorale est moins de diriger et d'enseigner que d'apprendre, de demander et d'écouter, selon la méthode dite du *tijwanel* (littéralement : «faire sortir ce qu'il y a dans le cœur de l'autre») qui consiste à recueillir la parole présente dans le peuple pour la rassembler et la redistribuer. Il en résulte une insistance sur la circulation horizontale de la parole, notamment au sein des assemblées, et une conception des dirigeants comme serviteurs de la communauté, conformément au principe du *mandar obedeciendo* (commander en obéissant), plus tard repris par les zapatistes. L'Église joue donc un rôle notable dans la prise de conscience et l'organisation des indigènes, revivifiant voire recréant la tradition communautaire, et donnant lieu à une synthèse originale qui annonce largement celle que proposera l'Ezln.

On ne saurait pour autant rendre Samuel Ruiz «responsable» du soulèvement zapatiste, comme l'ont fait certains, y compris dans les milieux universitaires ou journalistiques (ce n'est là du reste qu'une version à peine atténuée de l'opinion des classes dominantes locales qui haïssaient celui qu'elles nommaient l'«évêque rouge», quand elles ne l'accusaient pas d'être le «commandant Samuel», véritable chef de l'Ezln). Certes, il est indéniable que le travail pastoral de Samuel Ruiz et de son équipe a préparé le terrain sur lequel l'Ezln a su s'implanter, et il est non moins assuré que de nombreux catéchistes et diacres ont fait le choix zapatiste et comptent, pour certains, parmi ses principaux dirigeants. Pour autant, Samuel Ruiz a toujours clairement exprimé son rejet de la lutte armée et, quelle que soit l'aide objective qu'il a pu apporter aux zapatistes par son discours compréhensif et son rôle de médiateur, le divorce croissant entre l'Ezln et l'évêché après 1995, expression de fractures antérieures au soulèvement, suffit à montrer que leurs intérêts ne sont nullement identiques. Entre l'Ezln et l'Église de San Cristóbal existent des rapports complexes tissés de convergences et de concurrences, de sympathies et de rivalités, ce qui est logique puisqu'ils défendent, dans le même espace et à l'intention des mêmes communautés, des projets différents. Plus largement, une telle relation entre le zapatisme et l'Église de San Cristóbal n'est nullement surprenante, si l'on remarque que les mouvements sociaux les plus importants des dernières décennies en Amérique latine sont apparus là où la théologie de la libération avait pu travailler en profondeur, comme en témoigne l'exemple des zapatistes autant que celui des paysans sans terre du Brésil (M. Löwy).

Une seconde composante prend forme avec l'arrivée de militants politiques venus du centre et du nord du Mexique. Il s'agit d'abord de maoïstes, à partir de 1973 et de manière plus importante à partir de 1977 (alors invités par Samuel Ruiz), qui confluent pour former l'organisation *Línea proletaria*. Sa stratégie (dite de *línea de masas*) entend se mettre au service du peuple sans lui imposer la ligne à suivre ; ses activités concrètes s'orientent vers la structuration des organisations paysannes (en particulier la *Unión de uniones*), la mise en place de projets productifs et de coopératives (notamment pour le café) et, enfin, l'obtention de crédits. Elle pratique une politique « à double face » consistant, d'un côté, à ne pas affronter le gouvernement, voire à négocier des financements avec lui, tout en défendant, à l'intérieur, la perspective d'un mouvement critique et indépendant. Mais une telle contradiction conduit à une dérive prévisible, glissant de la non-condamnation des politiques officielles à une compromission croissante. Tel est notamment le cas d'Adolfo

Orive, l'un des principaux dirigeants de *Línea proletaria*, obnubilé par l'organisation d'un institut de crédit dont il négocie précipitamment les fonds avec le
gouvernement fédéral en 1982 (il sera, seize ans plus
tard, le principal conseiller de F. Labastida, Premier
ministre de E. Zedillo et candidat malheureux du PRI
à la présidence de la République en 2000). Une autre
dérive est la division croissante des principaux responsables maoïstes, qui conduit en 1983 à une scission
au sein de la *Unión de uniones* et à l'expulsion de ses
conseillers extérieurs (le major Moisés, qui était alors
membre de la « UU », relate la « trahison de Orive », son
expulsion, puis la restructuration de l'organisation par
les indigènes eux-mêmes). Les communautés semblent désormais prévenues contre ces conseillers censés les aider, mais qui ne font qu'introduire parmi eux
leur *caudillismo*, leur goût du pouvoir et leur sectarisme, qui dégénèrent en querelles politiques et en rivalités personnelles. Cette expérience est donc ambiguë :
elle contribue à l'essor des organisations indépendantes ; mais elle crée aussi une grande méfiance au
point de « vacciner les gens contre toute forme d'organisation » (selon l'expression d'un témoin cité par N.
Harvey). Il est donc probable qu'elle n'ait pas facilité la
tâche de l'Ezln, lors de ses premiers contacts avec des
communautés rendues réticentes par le souvenir de
telles déconvenues.

Enfin, un troisième filon est le processus d'organisation autonome des communautés, en partie irréductible à l'aide de l'Église et des militants maoïstes. Se
multiplient en effet les organisations dirigées par les
indigènes eux-mêmes, surtout après 1983 ; et même

lorsque existent des soutiens extérieurs, l'accumulation d'une expérience acquise par les indigènes est déterminante. Celle-ci a du reste joué un grand rôle dans l'essor de l'Ezln, dont de nombreux membres se sont d'abord formés au sein de ces organisations. À force de mobilisations et d'occupations de terres, celles-ci obtiennent des résultats importants : la fin des années 70 et les années 80 voient tant bien que mal, au milieu d'une féroce répression et en dépit de toutes les tricheries et inconséquences gouvernementales, la disparition des *fincas* dans la plupart des régions et une notable répartition de terres communales ou *ejidales* (entre 1960 et 1993, le nombre d'*ejidos* – associations basées sur une possession collective de la terre – passe de 948 à 2 072, et leur superficie totale de moins de 20 % à plus de 50 % des terres du Chiapas). Indéniablement, pour fruit d'une mobilisation parfois chèrement payée, les indigènes ont vaincu les grands propriétaires (J. González Esponda). Même si cela ne veut nullement dire que le problème de la terre ait été résolu, les organisations amplifient le champ de leurs revendications, qui prennent un tour plus nettement politique, d'abord en réaction à la politique répressive du gouverneur Absalón Castellanos (153 assassinats politiques, 503 séquestres et tortures durant son mandat), puis pour clamer leur exigence de liberté, de démocratisation et de respect à la dignité des indigènes. Aussi n'est-il pas surprenant que Marcos insiste sur le fait que les premiers zapatistes rencontrent des indigènes qui « ont déjà une formation politique, une conscience nationale, une perspective de lutte à long terme » (RZ).

La formation de
l'Ejército zapatista de liberación nacional

L'Ezln lui-même est issu d'un groupe marxiste-léniniste (guévariste) créé dans le nord du pays, à Monterrey, en 1969 : les Forces de libération nationale (FLN). Selon leurs statuts de 1980, celles-ci constituent une « organisation politico-militaire dont l'objectif est la prise du pouvoir politique... pour instaurer une république populaire et un système socialiste». Après avoir commencé à prendre pied au Chiapas, dans la région Nord et Los Altos, dès la fin des années 70, quelques-uns de ses membres se rendent dans la Selva Lacandona en 1983 et, le 17 novembre, dans le campement de «La Pesadilla» (le cauchemar !), l'Ezln est fondé par une poignée d'hommes et de femmes, métis et indigènes, dirigés par le commandant Germán. Durant une première phase, de 1983 à 1985, ce groupe apprend à vivre dans la montagne et demeure très isolé, sans appui des communautés et souvent même rejeté par elles. Puis, peu à peu, ses membres se font connaître des habitants et apparaissent à leurs yeux comme ceux qui descendent de la montagne, au lieu de venir de la ville. Dans un contexte de vives tensions sociales, marqué par la violente répression gouvernementale et par l'activité croissante des gardes blanches (polices privées des propriétaires terriens et des éleveurs), les guérilleros offrent aux communautés une aide pour assurer leur autodéfense. Leurs contacts s'intensifient par l'intermédiaire de dirigeants indigènes fortement politisés. 1986 marque un premier tournant :

l'Ezln compte 12 membres et pour la première fois entre en tant que groupe armé dans une communauté. La croissance se fait de plus en plus rapide et, tandis que certains de ses premiers membres quittent l'organisation, le nombre de combattants armés passe, entre 1988 et 1989, de 80 à 1 300. C'est le « boom du zapatisme », selon l'expression de Marcos, qui évoque pour 1990 plusieurs milliers de combattants et indique qu'alors « la majorité des communautés de la Selva et Los Altos étaient totalement zapatistes ». Durant ces années, la plupart des indigènes de la Selva appartiennent à la fois à l'Ezln et à la UU, dont les dirigeants admettent alors la compatibilité entre la lutte civile et la lutte armée. On voit donc difficilement comment soutenir la thèse selon laquelle l'insurrection zapatiste serait le résultat d'une manipulation de la part d'un groupe de révolutionnaires professionnels métis. Elle s'articule au contraire à un ample mouvement d'organisation indigène et reflète un choix collectif massif. Certes, l'attitude à l'égard de la lutte armée apparaît ambiguë, puisque beaucoup ont semblé vouloir jouer sur tous les tableaux à la fois. Toutefois, les relatifs insuccès des projets productifs de la UU, devenue ARIC, et le discrédit provoqué par la corruption de ses dirigeants lui font perdre la moitié de ses membres entre 1989 et 1993. L'idée de la lutte armée progresse alors, à mesure de l'insatisfaction grandissante suscitée par la voie pacifique jusque-là adoptée par le mouvement social.

À partir de 1989, l'Ezln continue donc de se développer, sans pouvoir compter sur ses anciens soutiens (divergences croissantes avec l'ARIC, rupture de plus en plus virulente avec l'Église, inquiète de la concurrence zapatiste, notamment dans le cas du groupe *Slop*, organisation de catéchistes très liée à l'évêque et fortement implantée dans les Cañadas, qui juge ses positions menacées par l'essor de l'Ezln). Mais une conjonction de nouveaux facteurs joue en faveur des zapatistes, notamment la réaction contre la politique du gouverneur Patrocinio González (1988-1994), non moins répressive que celle de son prédécesseur, les difficultés engendrées par la crise de l'élevage, la baisse drastique des prix du café en 1989-1991 et l'interdiction de l'exploitation du bois dans la Selva à partir de 1989. Un autre facteur décisif est sans doute l'élection de Carlos Salinas de Gortari en 1988, à l'issue d'une fraude électorale monumentale qui témoigne de la crise profonde du système de parti-État, puis l'amplification des politiques néolibérales suivies par son gouvernement. À cet égard, la réforme de l'article 27 de la Constitution, adoptée en 1992 et remettant en cause les acquis agraires de la Révolution mexicaine (en rendant possible la vente de terres *ejidales* ou communales et en décrétant la fin de la réforme agraire), constitue une véritable provocation et fait office de détonateur. En 1992, se multiplient les manifestations qui montrent le degré de mobilisation des indigènes du Chiapas, notamment la marche « Xi'nich » de Palenque à Mexico, puis, le 12 octobre, la présence à San Cristóbal de Las Casas de près de 10 000 personnes (en majorité membres de l'Ezln) qui manifestent sous la bannière de l'ANCIEZ et abattent la statue du conquistador Diego de Mazariegos.

Selon les récits de Marcos, c'est au moment de cette

mobilisation, entre septembre 1992 et janvier 1993, que les communautés prennent la décision du soulèvement armé. Selon d'autres sources, le vote aurait eu lieu dès juin 1992, mais il est clair que le choix est définitivement confirmé lors de la réunion du Prado en janvier 1993. Faisant état de fortes tensions internes, Marcos indique que « la Selva l'emporte alors sur la ville » (c'est-à-dire l'Ezln sur les FLN). Cela conduit à une restructuration des deux organisations, plus nettement séparées, et à la création du *Comité clandestino revolucionario indígena* (CCRI), formé par les représentants indigènes des comités locaux et régionaux, et assumant la direction politique du mouvement zapatiste. Les décisions prises par l'Ezln acquièrent ainsi une nouvelle légitimité, qui justifie son autonomie croissante par rapport aux FLN. Selon la version de Marcos, la guerre est alors un choix des communautés, imposé à des militaires plutôt réticents, tandis que les auteurs critiques à l'égard du zapatisme y voient une décision voulue par les dirigeants de l'Ezln contre l'opinion des responsables des FLN, plutôt sceptiques, et promue dans le but d'accentuer leur contrôle sur l'organisation et de conforter son autonomie. Ce qui est certain, c'est que tous ne votent pas en faveur de la guerre, et que plusieurs dizaines de milliers d'indigènes quittent leurs communautés pour éviter les conséquences d'une guerre qu'ils n'ont pas voulue. S'agissant de la préparation du soulèvement, bien des interrogations restent ouvertes, notamment en ce qui concerne la relation entre l'Ezln et les FLN, toujours existantes en 1994 (et plus tard encore ?) : quel rôle ont joué les divergences entre les dirigeants des deux organisations (peu surprenantes, compte tenu de la différence de leurs situations)? Existait-il un plan pour déclencher conjointement l'insurrection au Chiapas et dans les autres régions où les FLN étaient implantées? Est-ce en raison d'une fracture entre les deux groupes dirigeants que le soulèvement urbain n'a pas eu lieu ou seulement à cause de l'extrême faiblesse des FLN hors du Chiapas?

Dans la nuit du 1er janvier, une armée indigène s'empare, pour la première fois dans l'histoire, de San Cristóbal de Las Casas, Ocosingo, Las Margaritas, Altamirano et, un peu plus tard, occupe brièvement trois autres municipalités chiapanèques au cri de « Ya basta! », suscitant la terreur de l'élite des *coletos* (prétendument descendants des conquérants espagnols). Le fantasme de la revanche indienne, obsession remontant du fond des temps coloniaux, semble se matérialiser. La surprise est générale : le Mexique se réveille avec la gueule de bois, après la grande fête du réveillon qui devait célébrer son accès à la modernité du Premier monde. En ce jour inaugural de l'année, ce n'est pas l'entrée en vigueur du Traité de libre commerce avec les États-Unis et le Canada (ALENA), tant désirée par le président Salinas, qui attire l'attention, mais l'irruption brutale d'un Mexique indigène et oublié qui rappelle avec fracas son existence. Puis, le 2 janvier, l'armée zapatiste se retire pacifiquement de San Cristóbal, avant l'arrivée des soldats fédéraux, mais soutient d'intenses combats autour de Rancho Nuevo, principal camp militaire de la région, tandis que ses troupes se trouvent prises au piège dans le centre d'Ocosingo et que l'armée mexicaine bombarde les communautés.

Quel est alors l'objectif des zapatistes ? Selon la première Déclaration de la Selva Lacandona (qui est aussi
une déclaration de guerre à l'armée fédérale) et les différents textes rendus publics lors du soulèvement, l'objectif est national. Il s'agit, en vertu du pouvoir consti-
tutionnellement reconnu au peuple souverain « de
modifier la forme de son gouvernement », d'obtenir la
déposition de Carlos Salinas, qualifié de dictateur, tandis que onze demandes (« travail, terre, toit, alimenta-
tion, santé, éducation, indépendance, liberté, démocratie, justice, paix ») manifestent qu'il s'agit d'« une guerre
pour tous les pauvres, exploités et misérables de
Mexico, (...) une guerre juste que nous avons déclarée
à nos ennemis de classe » (décembre 1993)[1]. La stratégie militaire prévoit une avancée vers les États voisins
de Oaxaca et Tabasco et, au-delà vers la capitale du
pays, dans l'espoir d'un soulèvement général de la
population. À cet effet, l'Ezln proclame les lois révolutionnaires applicables dans les territoires libérés : saisie des moyens de production des moyens et grands
propriétaires au profit des autorités civiles locales,
réforme agraire et distribution des terres aux paysans,
organisation d'élections libres pour choisir de nouvelles autorités civiles locales, sans oublier la « Loi
révolutionnaire des femmes », dont l'adoption fut, pour
les communautés zapatistes, une véritable révolution
dans la révolution.

En dépit d'un style conforme à la tradition des luttes
révolutionnaires de guérilla et encore étranger au nou-

---

1. Les références des textes cités, ainsi que les indications
bibliographiques, sont rassemblées en fin de volume.

veau langage adopté plus tard par l'Ezln, ces textes ne sont pas en contradiction ouverte avec le discours zapatiste ultérieur, comme on l'a souvent dit. Ainsi, la première Déclaration ne prévoit nullement la prise du pouvoir par l'armée révolutionnaire, mais en appelle au Parlement pour qu'il proclame la destitution du dictateur Salinas. De même, elle indique que son objectif, au cours de son avancée, est de « permettre aux populations libérées d'élire, librement et démocratiquement, leurs propres autorités administratives », tandis que les lois révolutionnaires prennent soin de souligner que les élections devront être organisées par les autorités civiles, sans intervention de l'armée zapatiste (de même, les moyens de production et les terres devront être saisis par les autorités civiles, au profit des populations locales). Il ne s'agit donc nullement de promouvoir la prise du pouvoir, local ou national, par une organisation militaire révolutionnaire, mais de provoquer une transformation radicale de l'organisation politique, sociale et économique du pays, sous le contrôle d'autorités civiles légitimement constituées.

Sous l'effet d'amples manifestations de la société mexicaine, qui demande l'arrêt des combats, le président de la République décrète unilatéralement un cessez-le-feu, le 12 janvier. Les zapatistes croient à un piège, mais acceptent l'initiative afin de refaire leurs forces dans un contexte militaire peu favorable. Selon le récit de Marcos, ils prennent alors conscience de l'ampleur du mouvement de la société mexicaine qui, au lieu de se soulever comme ils l'espéraient, demande, y compris aux zapatistes, la négociation et la paix. Commence alors un processus de réflexion et de transformation, qui amène progressivement à privilégier la lutte politique plutôt que la lutte armée. L'Ezln accepte de négocier avec le gouvernement, ce qui conduit dans un premier temps au dialogue dans la cathédrale de San Cristóbal, en février 1994, qui ne donne lieu à aucun accord, puis au dialogue de San Andrés, qui aboutit aux accords sur « Droits et culture indigènes », signés par l'Ezln et le gouvernement mexicain, le 16 février 1996.

1994-2000 : du soulèvement à la résistance

Plutôt que de reprendre en détail tous les événements de ces années, on distinguera deux grandes phases : de 1994 à 1996, puis de 1997 à 2000. Durant la première période, le mouvement zapatiste est caractérisé par une dynamique puissante et une interaction intense avec la société. Il provoque un choc, un réveil, suscite débats et mobilisations au sein de la population mexicaine ; en retour, il reçoit d'elle un ample soutien qui renforce l'Ezln et accélère son propre processus de réflexion-transformation. La situation créée par le soulèvement, propice à l'ébullition sociale et à la radicalisation des revendications, est mise à profit notamment par toutes les organisations paysannes du Chiapas, qui déclenchent un vaste mouvement d'invasions de terres (environ 80 000 hectares). La plupart d'entre elles convergent, dès janvier 1994, pour former le CEOIC (*Consejo estatal de organizaciones indígenas y campesinas*). Puis l'effet fédérateur du soulèvement s'étend encore et conduit à la formation de l'AEDEPCH (*Asem-*

blea estatal democrática del pueblo chiapaneco) qui
regroupe, outre les organisations paysannes et les syn-
dicats démocratiques, le mouvement associatif, ainsi
que la Convention des femmes. C'est l'époque aussi des
grandes initiatives de l'Ezln, à commencer par la
Convention nationale démocratique (CND) qui, en août
1994, rassemble à San Cristóbal puis dans le «bateau
fou» de l'Aguascalientes de Guadalupe Tepeyac, 6 000
délégués venus de tous les secteurs de la gauche et
représentant de nombreuses organisations sociales du
pays. Simultanément, les zapatistes contribuent à créer
les conditions d'une mobilisation en faveur de la can-
didature de Amado Avendaño au poste de gouverneur
du Chiapas ; puis, devant la tentative d'assassinat dont
il est victime et la fraude qui impose le candidat du PRI,
l'Ezln promeut une stratégie d'insurrection civile et, en
décembre 1994, rompt l'encerclement militaire fédéral,
opère un déploiement éclair et sans combat de ses
troupes dans la région de Los Altos, et annonce la
constitution de 30 municipes autonomes rebelles
(nombre porté par la suite à 39).

Après l'échec de l'offensive militaire de février 1995,
par laquelle le gouvernement fédéral tente de liquider
les dirigeants zapatistes, l'Ezln lance une consultation
nationale et internationale pour déterminer quelle doit
être sa nouvelle stratégie et convoque de larges secteurs de la société civile nationale pour participer, à ses
côtés et face à la délégation gouvernementale, aux dialogues de San Andrés, dont l'objectif, du point de vue
zapatiste, est rien moins que de construire un nouveau
projet de nation et de jeter les bases d'une nouvelle
Constitution. Puis, en janvier 1996, l'Ezln convoque un

Forum national indigène, auquel participent un nombre important d'organisations des multiples ethnies du pays, et qui se transforme peu après en une structure permanente : le Congrès national indigène. Enfin, en juillet-août de la même année, l'Ezln organise la Rencontre intercontinentale pour l'humanité et contre le néolibéralisme, qui réunit 3 000 participants venus de plus de 40 pays et fait de cette année l'apogée du zapatisme international. En bref, durant cette période, l'écho du zapatisme est impressionnant, ainsi que sa capacité à mettre en mouvement la société, tout à la fois au plan régional, national et international. Certes, les échecs (celui de la CND en premier lieu, celui aussi du gouvernement en rébellion de Amado Avendaño, ainsi que le divorce avec les organisations réunies dans le CEIOC et l'AEDEPCH, accusées de « trahison ») se mêlent aux succès (le principal étant la signature des accords de San Andrés). Mais l'essentiel est l'existence d'une puissante dynamique, en interaction avec la société et capable de susciter la mobilisation, la réflexion et la transformation des forces sociales.

On peut fixer en décembre 1996-janvier 1997 une césure déterminante, lorsque le président Zedillo refuse le projet de réforme constitutionnelle, rédigé par la Commission parlementaire de concorde et pacification (COCOPA), et indispensable pour donner force de loi aux accords de San Andrés. Il en résulte un blocage des négociations, qui fige le conflit et interdit toute avancée du processus de paix. Les zapatistes consacrent alors toute leur énergie à exiger le respect de la signature gouvernementale et l'application des accords de San Andrés et se retrouvent, malgré eux, enfermés dans la revendication de cet objectif incontournable. En outre, ce blocage interdit la transformation de l'Ezln en une force politique civile, annoncée le 1er janvier 1996 dans la quatrième Déclaration de la Selva Lacandona, mais pour laquelle la signature de la paix est un préalable indispensable. Au contraire, le gouvernement opte pour la guerre de basse intensité contre les communautés zapatistes, dont l'objectif est de « sortir le poisson de l'eau » en coupant peu à peu l'armée zapatiste de ses bases civiles, tout en évitant des affrontements militaires trop coûteux en termes politiques. Armés à cet effet par le pouvoir priiste et avec l'appui direct de l'armée, pour semer la terreur et entraîner des déplacements massifs de population (plus de 10 000 personnes chassées de leurs maisons et de leurs terres), les groupes paramilitaires, actifs dans le nord du Chiapas dès 1995, se multiplient et étendent leur action à d'autres régions à partir de 1997. Le massacre d'Actéal, le 22 décembre 1997, au cours duquel sont assassinés 45 indigènes tzotzils, principalement des femmes et des enfants qui priaient dans une chapelle, est le symbole sinistre de cette violence généralisée, suscitée et appuyée par les autorités, avant de devenir incontrôlable.

Il faut bien reconnaître que cette politique, qui visait à étouffer à petit feu les forces zapatistes, a été d'une redoutable efficacité. Le lent épuisement du mouvement et les effets sournois d'un oubli progressif se sont fait sentir, malgré le sursaut de solidarité inspiré par le massacre d'Actéal et le démantèlement violent de plusieurs municipes autonomes au printemps 1998, en dépit aussi d'initiatives remarquables, comme la venue de 1 111 zapatistes à Mexico en octobre 1997 ou l'organisation d'une Consultation nationale sur les droits indigènes en mars 1999 (2 500 hommes et 2 500 femmes, représentants des communautés rebelles, sont alors envoyés dans tous les municipes du pays pour expliquer les revendications zapatistes et promouvoir la participation à ce référendum, qui est un succès, autant par le nombre de votants que par la mobilisation suscitée pour son organisation). En dépit de tous les moyens utilisés, y compris le «silence zapatiste» qui réussit à faire beaucoup parler de lui de mars à juin 1998, en dépit du maintien, vaille que vaille, d'une solidarité nationale et internationale qui ne s'est jamais interrompue, il est indéniable que la politique de blocage et de harcèlement du gouvernement a porté ses fruits. Certes, celui-ci n'a pas pour autant gagné : les zapatistes n'ont pas été anéantis ; ils sont parvenus à résister, évitant au prix d'un sang-froid remarquable toutes les provocations qui pouvaient servir de prétexte au déclenchement d'une offensive finale contre eux.

Lorsque le PRI quitte le pouvoir, en décembre 2000, les zapatistes sont toujours là (et ils ne sont pas pour rien dans le processus qui a conduit à l'effondrement du système de parti-État et de la «dictature parfaite» du PRI). Il n'en reste pas moins que, de 1997 à 2000, l'espace politique du zapatisme s'est peu à peu réduit, ses forces se sont amoindries, son écho s'est terni. La dynamique d'interaction avec la société s'est affaiblie au bénéfice d'un isolement croissant, résultat des divergences et des divisions accumulées au fil des années (rupture avec les organisations paysannes chiapanèques, prise de distance avec des secteurs de la gauche universitaire et intellectuelle, dont les causes et les responsabilités restent à élucider). Les zapatistes ont certainement eu leur part dans cette évolution, accentuée par une solitude selvatique sans cesse plus stricte et des difficultés croissantes pour rester en contact avec la société mexicaine ; mais il faut reconnaître qu'une telle évolution a surtout été l'effet de la politique gouvernementale qui a figé le mouvement dans son état de la fin 1996 et a paralysé le processus de transformation dans lequel il était engagé. Durant cette période, le zapatisme a cessé d'avancer et par conséquent il a reculé, devant se replier vers une attitude défensive (supporter la pression militaire et paramilitaire). C'est là un facteur qu'on ne peut ignorer, car il pourrait bien avoir favorisé une involution des pratiques du mouvement zapatiste et contribué aux limites de celui-ci.

2 décembre 2000 : une nouvelle étape commence ?

Le 1er décembre 2000, prennent fin soixante et onze ans de pouvoir ininterrompu du PRI, qui cède l'écharpe présidentielle à Vicente Fox. Le lendemain, les zapatistes peuvent célébrer une victoire : ils ont résisté à six années de harcèlement zedilliste, et le président sortant a perdu sa guerre de l'oubli contre l'Ezln. Sans plus attendre, ils manifestent leur disposition à renouer le dialogue et à s'avancer rapidement dans le chemin de la paix, offrant une réponse immédiate, prenant en compte les paramètres de la nouvelle conjoncture créée par la fin du système de parti-État et se situant à la hauteur de l'offre médiatique du président Fox. Par là même, ils prouvent leur capacité à se projeter dans une nouvelle phase du mouvement zapatiste, dans laquelle sa transformation en force civile ne contredirait en rien son opposition inconditionnelle au néolibéralisme, ni la paix possible son rejet radical du projet foxiste («Ce qui est en jeu n'est pas de savoir si nous nous opposerons à ce que vous représentez et signifiez pour notre pays. En cela, il ne doit y avoir aucun doute : nous sommes vos contraires», écrivent-ils au nouveau président, le 2 décembre 2000). Vingt-quatre heures seulement après la fin du cauchemar zedilliste, le mouvement zapatiste s'est remis à avancer avec une lucidité et une capacité d'initiative intactes, ce qui oblige à relativiser les remarques critiques suscitées par l'immobilisation de la dynamique zapatiste entre 1997 et 2000.

Le même jour, est annoncée la marche sur Mexico d'une délégation formée par les principaux dirigeants de l'Ezln (23 commandants indigènes et le sous-commandant Marcos). L'objectif est double : reconstituer les forces nationales du mouvement zapatiste, afin d'engager en position rééquilibrée les futures discussions de paix ; susciter une ample mobilisation en faveur de l'application des accords de San Andrés, c'est-à-dire du vote de la réforme constitutionnelle sur «Droits et culture indigènes» rédigée par la COCOPA, et exposer au pouvoir législatif les arguments de l'Ezln en faveur de celle-ci. D'une certaine manière, la marche réalise, sept ans après, la promesse suspendue du 1er janvier 1994, mais dans un contexte totalement différent et en s'avançant cette fois sur le terrain de l'action politique civile. Elle est donc un signe de paix, par le risque qu'implique la mise en aventure, en terrain incertain, de presque tous les dirigeants zapatistes, par les gestes d'autodésarmement accomplis au moment d'entreprendre la marche, et par l'annonce, le même jour, d'une mission de médiation avec le parlement confiée à Fernando Yañez, le commandant Germán, ancien chef des FLN et fondateur de l'Ezln. Bien que la classe politique soit restée largement aveugle au sens de cette désignation, en effet inattendue, elle entend sceller l'abandon de la lutte armée et fait plonger le renoncement à la clandestinité jusqu'au plus occulte de l'Ezln et de son histoire. Un cycle veut alors se clore, celui de la lutte armée de l'Ezln, dont la fin est symboliquement proclamée au moment où celui qui en incarne le début apparaît au grand jour de l'activité politique.

Du 24 février au 1er avril, la marche alors dénommée de la «Dignité indigène» conduit les délégués zapatistes à travers 12 États de la République mexicaine, principalement ses zones les plus indigènes et les plus pauvres, réalisant 80 actes publics, participant au Congrès national indigène à Nurio et culminant le 11 mars sur la place centrale de la capitale du pays. La délégation parvient à faire face à l'efficace stratégie communicationnelle de Fox, qui opte non pour l'affrontement ou l'accumulation d'obstacles, mais pour la récupération, s'efforçant d'utiliser à son avantage la force de l'adversaire en faisant de la marche et de sa bonne volonté à son égard la preuve mondialement répercutée de la tolérance de la nouvelle démocratie mexicaine. En même temps, il prépare le terrain pour convaincre l'opinion publique de l'intransigeance des zapatistes, en réitérant avec éclat des invitations à un dialogue personnel entre lui-même et Marcos, dans des conditions de toute évidence inacceptables pour l'Ezln. Malgré la stratégie gouvernementale, qui tout à la fois aide matériellement la marche et tend à en brouiller le sens, le succès est incontestable. La marche est reçue par des multitudes enthousiastes, réactive les réseaux de soutien nationaux et internationaux, fait entrevoir au pays sa part indigène, déniée ou ignorée, accumule une force politique remarquable. Enfin, une impeccable conduite tactique déjoue l'ultime piège d'un gouvernement qui parie sur le temps passé dans la capitale et l'enlisement de la délégation zapatiste dans la forêt d'asphalte et de béton pour l'affaiblir et dévaluer le capital de la marche, et permet au contraire d'obtenir les signes attendus du gouvernement pour renouer le dialogue de paix, ainsi que le vote des députés autorisant l'accès de la délégation zapatiste à la tribune du Congrès pour y plaider en faveur de la réforme constitutionnelle.

Même si le vote de la réforme est à l'évidence l'objectif fondamental, les zapatistes accordent une valeur considérable à cette réception parlementaire et à l'énoncé de leur parole, dont la partie principale est présentée par la commandante Esther, et de celle de leurs compagnons du Congrès national indigène. Ils considèrent l'ouverture de l'institution législative comme le premier acte décisif d'une reconnaissance par la nation de sa part indigène. Cette cession du Congrès, solennisée à l'extrême et saturée de symbolisme patriotique, apparaît ainsi comme un succès suf-

fisant pour déclarer la marche terminée et permettre
l'annonce, depuis « la plus haute tribune de la nation »,
de la reprise des contacts entre l'Ezln et le gouvernement fédéral. Ce jour-là (28 mars), les conditions sont
créées pour une avancée décisive vers la paix, susceptible de permettre la transformation de l'Ezln en force
politique civile (mais non en parti politique). Pourtant,
à peine esquissée, une telle paix, victoire pour les zapatistes autant que pour Fox, semble déjà cacher une
contradiction profonde. Pour le président, elle consti-
tuerait un capital politique important, ultérieurement
monnayable et finalement peu cher payé, et une condition pour mettre en place des projets économiques
conformes aux normes néolibérales et aux attentes des
milieux d'affaires internationaux, tel le plan Puebla-
Panamá (qui inclut le Chiapas). Pour les zapatistes au
contraire, la paix – avec pour fondement indispensable
l'inscription constitutionnelle de l'autonomie et des
droits indigènes, la reconnaissance dans la conscience
nationale de l'existence des peuples indigènes et de
leurs différences au sein de l'unité mexicaine – se profile comme une arme pour résister aux projets néolibéraux et à ce même plan Puebla-Panamá. Une paix
digne leur permettrait de rompre l'enfermement dans
la lutte armée et la clandestinité et de redéployer, sur
un autre terrain et sous des formes nouvelles, le combat pour la justice sociale, la démocratie totale et contre
le néolibéralisme globalisé.

Mais, le 28 avril, le parlement fédéral vote une
réforme constitutionnelle qui dénature le projet de la
COCOPA et ignore superbement l'esprit et la lettre des
accords de San Andrés. Cette contre-réforme est dénon-

cée comme une trahison et une plaisanterie insultante par l'Ezln et le mouvement indigène. Elle est ensuite approuvée par la majorité des parlements locaux (mais rejetée par ceux de 10 États, qui regroupent les deux tiers de la population indigène du Mexique), puis promulguée, le 14 août, par le président Fox, au moment où les autorités de plusieurs États et les communautés indigènes multiplient les protestations et les recours constitutionnels. Ainsi, la classe politique, dominée par sa frange la plus conservatrice, l'a finalement emporté. Retranchée dans sa citadelle parlementaire, elle a démontré sa capacité à rester sourde à une mobilisation sociale d'une ampleur peu commune et s'est offert le luxe de réaffirmer avec éclat une conception intégrationniste et assistentialiste de l'indigénisme, aussi vieille et passée de mode que le PRI. Mesurée à l'aune du vote législatif, la question indigène au Mexique semble n'avoir pas évolué d'un pouce depuis 1994. Par son vote, le parlement fédéral a fermé la possibilité, ouverte par la marche, du dialogue et de la solution négociée du conflit chiapanèque. Retour au point de départ?

San Cristóbal de Las Casas,
2 novembre 2001

I

Une critique en acte
des révolutions passées

> « Nous ne sommes pas désireux de
> nous emparer de l'État, comme Trotski
> et Lénine, mais de nous emparer du
> monde... Ce qu'il faut prendre n'a pas de
> dimensions physiques, ni de rapport
> avec les couleurs des saisons. Ce n'est
> pas un port, ni une capitale... ce qui est
> à prendre, c'est nous-mêmes. »
>
> A. Trocchi,
> *Technique du coup du monde.*

Nous voulons analyser ici la façon dont les zapatistes
conçoivent l'action politique et en premier lieu la lutte
armée, puisque c'est ainsi qu'ils se font connaître au
monde le 1er janvier 1994. Leur conception originale de
la lutte armée et leur tendance à privilégier une pratique politique non moins singulière ont suscité les
appréciations les plus diverses, les uns qualifiant les
zapatistes d'« archéo-guérilleros », d'autres de « réformistes armés » (J. Castañeda) ou encore de « révolutionnaires démocratiques » (A. Touraine). Nous nous
interrogerons donc sur les particularités de la relation

entre lutte armée et lutte politique dans le zapatisme,
et nous soutiendrons que celui-ci constitue fondamentalement une critique en acte des mouvements révolutionnaires du XXe siècle.

Critique du guévarisme

Marcos souligne que le groupe initial de l'Ezln, issu
des FLN, s'installe dans la Selva en 1983 « avec toute la
tradition des guérillas latino-américaines des années 60,
groupe d'avant-garde, idéologie marxiste-léniniste, qui
lutte pour la transformation du monde, cherchant à
prendre le pouvoir en une dictature du prolétariat »
(30 juin 1996). Puis, un processus de transformation
conduit à s'écarter de cette tradition marxiste-léniniste
et guévariste. Selon le récit de Marcos, cette transformation s'amorce dès 1985, tandis que, selon les détracteurs du zapatisme, en 1994 encore, ceux-ci demeurent
des marxistes conventionnels, travestis pour se faire
comprendre des indigènes. Dans cette version, la supposée nouveauté du zapatisme ne serait qu'une création improvisée à partir de janvier 1994 sous la pression des événements, pour faire contre mauvaise
fortune bon cœur face à l'échec de la stratégie militaire
initiale ; mais le pseudo-nouveau langage ne serait
qu'un mince vernis cachant mal les inévitables pratiques des révolutionnaires de toujours... Certes, on n'a
guère de raisons de croire des auteurs généralement si
élogieux envers les présidents Salinas et Zedillo qu'on
comprend qu'ils soient portés à discréditer l'Ezln. En
outre, leurs thèses sont étroitement associées à l'idée

raciste selon laquelle les indigènes seraient incapables de décider et d'agir par eux-mêmes, le mouvement zapatiste ne pouvant être qu'une manipulation des indigènes par quelques dirigeants (intellectuels et blancs).

Cette vision se fonde volontiers sur la première Déclaration de la Selva Lacandona et les Lois révolutionnaires, jugées comme autant de signes d'un marxisme sclérosé et d'une guérilla conventionnelle, ce qui n'est pas exactement le cas, comme on l'a déjà indiqué. En outre, il est difficile d'imaginer que des révolutionnaires aussi bornés et n'ayant pas d'autre horizon de réflexion que leurs vieux manuels du parfait guérillero aient pu accepter – quand bien même des circonstances adverses les y invitaient – de prendre le chemin de la négociation au bout de quelques jours à peine. Et on a du mal à comprendre comment ils auraient pu être capables d'opérer en si peu de temps une reconversion aussi radicale, si rien dans leur expérience antérieure ne les préparait à une telle évolution. Pour autant, rien ne nous oblige à prendre au pied de la lettre le témoignage de Marcos, car ayant pour fonction de renforcer le crédit de l'Ezln, il se doit de présenter la réalité sous son jour le plus avenant (au besoin en occultant une « cuisine interne » dont on a du mal à croire qu'elle ait pu être exempte de tout défaut), ce qui pourrait notamment inciter à accélérer la chronologie de la transformation du zapatisme, afin d'en augmenter la crédibilité. Dans l'état actuel des sources disponibles, on admettra que les récits du sous-commandant donnent à connaître une dynamique générale crédible, ce qui n'exclut nullement de les considérer avec quelque peu d'esprit critique.

Au reste, Marcos lui-même évoque un processus marqué par deux phases décisives. La première commence dans les années 1985-1987, lorsque le contact avec les communautés indigènes se fait plus étroit. Les militants de l'Ezln sont alors tout imprégnés des idées traditionnelles des révolutionnaires avant-gardistes (« Dans notre optique de guérilleros, ils étaient des gens exploités qu'il fallait organiser et auxquels il fallait montrer le chemin. Nous étions la lumière du monde !... Ils étaient des aveugles à qui nous devions ouvrir les yeux », RZ). Mais ce que ces militants découvrent, c'est un « mouvement indigène avec une longue tradition de lutte, avec beaucoup d'expérience, une grande résistance et une grande intelligence aussi », « une réalité à laquelle nous n'étions pas préparés », « un monde nouveau face auquel nous n'avions pas de réponse ». Lorsqu'ils exposent aux indigènes « toutes ces choses absurdes que nous avions apprises, l'impérialisme, la crise sociale, la corrélation de forces et la conjoncture », ceux-ci répondent : « Ta parole est très dure, nous ne la comprenons pas. » Pour résoudre cette nécessité élémentaire – se faire comprendre –, il faut trouver d'autres mots et, surtout, écouter et s'efforcer de comprendre une culture et des formes de communication inconnues. C'est ainsi que commence « le processus de transformation de l'Ezln, d'armée d'avant-garde révolutionnaire en une armée des communautés indigènes, une armée qui fait partie d'un mouvement indigène de résistance, parmi d'autres formes de lutte. Nous autres, nous ne voyions pas les choses ainsi ; pour nous, la lutte armée était la colonne vertébrale, le degré suprême, etc. Mais ensuite, l'Ezln, au moment où il s'imbrique avec les communautés, devient un élément supplémentaire de toute cette résistance, il est contaminé par les communautés et se subordonne à elles» (RZ). Marcos qualifie ce processus de première «défaite de l'Ezln», mais c'est cette «défaite» qui lui permet de survivre et de croître («Si l'Ezln ne l'avait pas acceptée, il se serait isolé, il serait resté petit, il aurait disparu»).

Cette rencontre est un choc culturel et politique : «Nous avions une conception très carrée de la réalité. Lorsque nous nous sommes heurtés à la réalité, ce carré s'est trouvé tout cabossé. Comme cette roue qui se trouve là. Et il commence à rouler et à se polir au contact des communautés. Il n'a alors plus rien à voir avec ce qu'il était au début. Aussi, lorsqu'on me demande : qu'est-ce que vous êtes ? Marxistes, léninistes, castristes, maoïstes ou quoi ? je ne sais pas. Vraiment, je ne sais pas. Nous sommes le produit d'une hybridation, d'une confrontation, d'un choc dans lequel – heureusement, je crois – nous avons perdu» (V). Naît ainsi la quadrature du cercle, ou plutôt la transmutation du carré en cercle, c'est-à-dire un processus qui transcende les définitions initiales et produit un mélange inédit. «Notre conception carrée du monde et de la révolution s'est retrouvée bien cabossée dans la confrontation avec la réalité indigène chiapanèque. Des coups est né quelque chose de neuf (ce qui ne veut pas dire "bon"), ce qu'on connaît aujourd'hui comme le néozapatisme» (22 octobre 1994). Cette rencontre entre un groupe guévariste et des communautés indigènes, « entre une avant-garde politico-militaire ou une supposée avant-garde politico-militaire et une manière politique de résister », n'a pas été indolore ; elle est un « heurt », un renoncement à la foi initiale, assimilé à une défaite. Et c'est pourquoi elle est créatrice et engendre, selon le terme employé par Marcos, ce « cocktail » inédit que l'on nomme le zapatisme.

Le zapatisme se pense donc comme le produit hybride d'une interaction, et plus fondamentalement encore comme un *processus constant de transformation de soi*. Il serait donc faux de prêter à Marcos l'idée que *le* zapatisme s'est présenté au monde, le 1ᵉʳ janvier 1994, tout formé dans l'immuabilité de son essence, tel le cercle parfait issu de la miraculeuse alchimie selvatique. Au contraire, le sous-commandant souligne que n'existe encore au moment du soulèvement qu'une « première synthèse très vague » et que, dans le processus constant de transformation en quoi consiste le zapatisme, l'année 1994 ouvre une phase au moins aussi importante que celle qui commence en 1985-1987 (en une occasion, Marcos semble même admettre que l'Ezln ne disposait pas d'un discours propre en 1994 et qu'il dut l'inventer dans la situation inédite créée en janvier, au prix de nombreuses improvisations et contradictions : « Soudain, ils se rendent compte que le zapatisme n'est pas une armée qui se bat, mais qu'il n'a pas non plus un langage propre comme zapatisme ; alors ils doivent l'inventer dans l'instant. Et ils l'inventent avec les apports culturels indigènes et ceux de la culture urbaine, et ce langage nouveau se rétroalimente dans la mesure où il a du succès » RZ). Mais surtout, « à ce moment, un nouveau choc affecte ce qui est alors le zapatisme, qui n'a plus rien à voir avec le zapatisme de 1983, qui est alors nouveau en 1993, mais doit recommencer à se recréer en 1994, au moment où le zapatisme armé rencontre les nombreuses forces de résistance et les nombreuses poches d'oubli qui s'étaient répétées dans le Mexique et dans le monde, pendant que nous étions dans les montagnes... Le zapatisme armé qui naît en 1994 commence à se convertir en quelque chose de neuf, au moment où il rencontre le zapatisme civil au Mexique et dans le monde, des gens qui pensent comme nous, qui luttent pour la même chose mais qui ne sont pas armés et n'ont pas de passe-montagne» (30 juin 1996). Cette citation incite à identifier un ingrédient supplémentaire et plus tardif – le zapatisme international –, mais on s'en tiendra pour l'instant à la conjoncture de 1994. Et faut-il alors, comme le veulent les adversaires du zapatisme, considérer cette capacité d'adaptation à la réalité sociale comme une simple tactique opportuniste ?

Le choc de 1994 est celui qui conduit à déplacer l'accent de la guérilla à la lutte politique. Marcos admet *a posteriori* que, lors du soulèvement, l'Ezln disposait d'une très pauvre information sur l'état du pays. C'est seulement au moment d'accepter le cessez-le-feu que ses dirigeants se rendent compte que la réaction de la société mexicaine ne correspond à aucune de leurs prévisions : «Nous pensions que le peuple ou bien n'allait pas nous prêter attention ou bien allait se joindre à notre combat. Mais il n'a réagi d'aucune de ces deux manières. Il se trouve que tous ces gens, qui étaient des milliers, des dizaines de milliers, des centaines de milliers, peut-être des millions, ne voulaient pas se soulever avec nous, mais ne voulaient pas non plus que nous nous battions, ni que nous soyons écrasés. Ils voulaient que nous dialoguions. Cela brise totalement notre schéma et achève de définir le zapatisme, le néozapatisme... le Comité clandestin révolutionnaire indigène, c'est-à-dire la direction du mouvement, dit : ici, il y a quelque chose de nouveau et nous ne savons pas ce que c'est, arrêtons-nous pour voir ce qui se passe... C'est ainsi que nos camarades des comités, du Comité clandestin, ont décidé qu'il fallait parler avec les gens, pour voir comment nous devions poursuivre la lutte » (RZ). L'Ezln accepte le cessez-le-feu et la perspective du dialogue, le 12 janvier, reconnaît le lendemain Samuel Ruiz comme médiateur et, le 18, accueille comme « interlocuteur authentique » et de « grande valeur » Manuel Camacho, le délégué pour la paix nommé par le gouvernement.

Dès le 20 janvier, l'Ezln indique qu'il « n'a jamais prétendu que sa forme de lutte était la seule légitime... Notre forme de lutte n'est pas la seule, et pour beaucoup elle n'est peut-être même pas adéquate... L'Ezln n'a jamais prétendu que son organisation était la seule véritable, honnête et révolutionnaire au Mexique ou au Chiapas... Nous ne prétendons pas être l'avant-garde historique, une, unique et véritable ». Un autre communiqué portant la même date confirme cette relativisation de la lutte armée et formule déjà clairement ce qui sera la stratégie politique ultérieure de l'Ezln : « Nous pensons que le changement révolutionnaire au Mexique ne sera pas le produit d'une action dans une seule direction. C'est-à-dire qu'elle ne sera pas, au sens strict, une révolution armée ou une révolution pacifique. Elle sera essentiellement une révolution résultant d'une lutte sur plusieurs fronts sociaux, avec de nombreuses méthodes, sous différentes formes sociales, avec des degrés divers d'engagement et de participation. Son résultat ne sera pas celui d'un parti, d'une organisation ou d'une alliance d'organisations triomphant avec son projet social propre, mais plutôt d'une sorte d'espace démocratique de résolution de la confrontation entre diverses propositions politiques... Le changement révolutionnaire au Mexique ne se fera pas sous une direction unique avec une seule organisation homogène et un *caudillo* [chef] qui la guide... De l'action même de la société civile mexicaine, et non de la volonté du gouvernement ou de la force de nos fusils, sortira la possibilité réelle d'un changement démocratique au Mexique. » Trois semaines seulement après le soulèvement armé, tout le nouveau zapatisme ou presque est déjà dans ce communiqué : la relativisation du rôle de l'organisation politico-militaire, l'appel à la pluralité et à la convergence de la société civile dans la diversité de ses organisations et de ses méthodes, et surtout l'idée d'ouvrir, notamment grâce au soulèvement armé, un espace démocratique. Décidément, la thèse de l'opportunisme qui s'efforce de tirer parti politiquement d'une situation militaire défavorable et de l'habillage de façade d'une organisation qui n'aurait renoncé à aucun de ses dogmes paraît bien difficile à tenir. On voit mal comment comprendre ces évolutions et cette capacité de créativité politique sans prendre en compte les deux caractéristiques déjà mentionnées du zapatisme : le fait de se vivre comme un processus de transformation constant et une capacité remarquable d'interaction avec la réalité sociale.

Les événements ultérieurs – le dialogue dans la cathédrale, la convocation de la Convention nationale démocratique, la logique du dialogue de San Andrés – ne font qu'amplifier ces principes formulés en toute clarté dès janvier 1994. Au fil des mois, l'Ezln conforte son renoncement *à l'usage* des armes (mais non *aux* armes), et la fonction remplie par le soulèvement du 1er janvier apparaît plus nettement. Les armes n'auront pas servi pour livrer avec elles le combat décisif *hasta la victoria*, mais pour se faire écouter et ouvrir un espace politique : « Il fut nécessaire que parle le fusil zapatiste pour que le Mexique écoute la voix des pauvres Chiapanèques » (20 janvier 1994) ou, comme le dit le commandant David, « pour que, avec le cri de nos fusils, soit écouté notre cri de *Ya basta !* » (27 juillet 1996). Progressivement, le changement d'équilibre entre lutte armée et lutte politique s'accentue et, en août 1995, les zapatistes organisent une consultation nationale et internationale pour demander à ses membres et sympathisants ainsi qu'à la société civile en général si « l'Ezln doit se transformer en une force politique indépendante et nouvelle » et « former avec d'autres forces et organisations une nouvelle organisation politique ». En réponse à cet « exercice citoyen sans précédent (...) qui exprima clairement le désir de voir les zapatistes participer à la vie politique civile du pays », la quatrième Déclaration de la Selva Lacandona annonce, le 1er janvier 1996, le début du processus qui doit conduire, à partir de la formation de comités de base dans tout le pays, à la constitution du Front zapatiste de libération nationale, une «nouvelle force politique nationale», mais non un nouveau parti politique.

Cela ne signifie pas pour autant la disparition de l'*Ejército zapatista*, qui ne saurait officialiser son renoncement à l'usage des armes avant la signature d'un accord de paix (les armes demeurant une carte indispensable dans la négociation et, même si elles ne servent pas, une garantie de sécurité pour les communautés). Si la paix et le passage définitif d'une organisation politico-militaire à une organisation politique civile semblait à portée de main en décembre 1996, l'attitude gouvernementale a alors fermé cette voie et bloqué cette ultime étape de la transformation. Malgré tout, le processus évolutif est impressionnant et, en février 1995, Marcos pouvait à juste titre demander : «Quelle autre guérilla a accepté de s'asseoir pour dialoguer cinquante jours après son soulèvement armé ? Quelle autre guérilla en a appelé non au prolétariat comme avant-garde historique mais à la société civile qui lutte pour la démocratie ? Quelle autre guérilla s'est mise sur le côté pour ne pas interférer dans un processus électoral ? Quelle autre guérilla a convoqué un mouvement national démocratique, civil et pacifique, pour rendre inutile le recours à la voie armée ? Quelle autre guérilla demande à ses bases d'appui ce qu'elle doit faire avant de le faire ? Quelle autre guérilla a lutté pour créer un espace démocratique et non pour le pouvoir ? Quelle autre guérilla a utilisé davantage les paroles que les balles ?»

Comment donc situer cette conduite atypique par rapport à l'héritage des mouvements armés en Amérique latine ? Il faut d'abord lever une équivoque : l'ori-

ginalité de l'Ezln n'est pas d'avoir constitué une armée
régulière, par opposition à la stratégie guévariste du
foco, petit groupe de combattants devant servir de cata-
lyseur au mouvement révolutionnaire. Car pour le
Che, le *foco* n'est que le premier moment de la « guerre
de guérilla », admissible seulement dans la mesure où
elle se transforme en « une guerre du peuple, une lutte
des masses ». En outre, selon la théorie guévariste, la
lutte armée ne saurait être séparée du travail politique
(d'où la notion de lutte « politico-militaire ») et l'interaction entre la guérilla et le peuple est indispensable :
celui-ci doit s'approprier la guérilla, tandis que les dirigeants « doivent apprendre du peuple ». Au reste, bien
des guérillas latino-américaines ont constitué de véritables armées, et aujourd'hui encore les Forces armées
révolutionnaires colombiennes – il est vrai aidées par
l'impôt versé par les producteurs de coca – comptent
plus de 15 000 combattants (dont un tiers de femmes).
Et Marcos reconnaît qu'ont servi de référents d'autres
armées comme celle du Front sandiniste au Nicaragua
et surtout du Front Farabundo Martí de libération
nationale, dont il admire l'offensive massive contre la
capitale du Salvador, en novembre 1989. Certes, la référence au Che domine – peut-être pour des raisons
éthiques et humanistes plus que pour ses leçons militaires –, mais elle renvoie aussi à l'image angoissante
de l'échec : les premiers zapatistes, terriblement soli-
taires, vivent avec « le fantôme du Che, de la Bolivie, du
manque d'appui paysan à une guérilla implantée artificiellement », bref d'une guérilla qui ne dépasse pas le
stade du *foco* isolé et qui échoue.

Mais l'Ezln est justement une guérilla qui réussit, se

transforme en armée régulière et, surtout, surmonte l'extériorité entre l'armée et la population paysanne, qui fut l'écueil de nombreuses expériences latino-américaines (cette interpénétration apparaît dans le fait que l'Ezln inclut en son sein trois degrés de participation : les «insurgés» qui forment les troupes régulières, les «miliciens», mobilisables en cas de nécessité; les «bases d'appui», populations civiles qui assurent protection et nourriture aux combattants et qui participent aux actions politiques de l'Ezln). Au reste, les références de l'Ezln ne sont pas seulement les guérillas d'Amérique latine, mais aussi les zapatistes du début du XXᵉ siècle, c'est-à-dire des paysans en armes ayant constitué une véritable armée, l'*Ejército libertador del Sur*. Certes, le Che lui-même ne concevait pas l'action militaire sans le soutien massif du peuple, et les thèses que l'on a rappelées paraissent annoncer le discours zapatiste. Mais on voit aussi clairement la différence, car le Che pense la guérilla comme une avant-garde et maintient, même dans la réciprocité, une évidente extériorité entre le peuple et ses guides, alors que l'Ezln rompt la logique de l'avant-garde et pousse l'interaction jusqu'à la création d'une nouvelle réalité hybride.

Plus que l'opposition entre *foco* et armée régulière, c'est cette transformation qui constitue le dépassement zapatiste du guévarisme. Ce dépassement, c'est le passage du combat «politico-militaire» à une lutte beaucoup plus politique que militaire. C'est notamment la capacité, appréciable de la part de militaires, à dénoncer toute idéologie militariste et à insister sur la nécessaire supériorité de l'instance civile. Marcos suggère que cette subordination des militaires aux communautés civiles s'opère dès 1993, mais le principe est plus clair encore en 1994 lorsque les zapatistes indiquent qu'eux-mêmes, en tant que militaires, ne sauraient assumer nulle charge politique civile (ils diront un peu plus tard : «Nous avons recouru à l'argument des armes (...) et, avec elles, à l'argument de la force. Le fait que les armes soient peu nombreuses ou vieilles et qu'elles aient peu servi ne change que peu ou rien à cette situation. Le fait est que nous étions, que nous sommes disposés à les utiliser. Nous sommes prêts à mourir pour nos idées, c'est vrai. Mais nous sommes aussi prêts à tuer. Pour cela, d'une armée, même révolutionnaire, héroïque, etc., ne peut pas naître une nouvelle morale politique», novembre 1995). Enfin, pour revenir à la question initiale, il est manifeste que le dépassement du guévarisme est engagé dès avant 1994, car même dans la première Déclaration, l'Ezln n'a jamais prôné la prise du pouvoir par l'armée révolutionnaire : la différence avec la tradition latino-américaine ne saurait être plus nette.

En quel sens alors pourrait-on soutenir que le zapatisme est la guérilla de la fin de la guérilla ? Certes pas à la manière de ceux qui, en 1993, annonçaient l'épuisement du cycle des mouvements armés en Amérique latine et qui, face à la surprise de taille que devait leur réserver le 1er janvier 1994, durent qualifier les zapatistes de «réformistes armés» pour éviter que la réalité ne défasse trop vite leur théorie. Et pas davantage avec ceux qui récidivèrent en juin 1996 en reprenant le thème de la fin des guérillas, quelques jours à peine avant que l'EPR (Armée populaire révolutionnaire) ne fasse son apparition dans plusieurs États du Mexique.

La répétition de ces pronostics déçus devrait suffire à nous prémunir contre le risque de déclarer que telle ou telle guérilla est la dernière (sans oublier l'existence fort active des FARC et de l'ELN en Colombie, le recensement de 14 groupes armés dans le Mexique de l'an 2000, et peut-être même la présence, au sein de l'Ezln, de courants enclins à une action militaire, en réponse au harcèlement gouvernemental des années 1997-2000). En revanche, la notion de guérilla de la fin de la guérilla peut servir à désigner tous les traits atypiques que l'on a recensés, et surtout le fait d'avoir pu, presque d'emblée, suspendre le projet militaire et privilégier les moyens d'action politiques. Que cette transformation ait été ou non imposée par les circonstances est finalement secondaire, car encore fallait-il qu'existe la capacité d'adaptation nécessaire pour s'engager si rapidement dans une voie inédite et non planifiée. Ainsi, par leur capacité à relativiser la portée de l'action armée, à articuler la possession des armes avec des formes de lutte proprement politiques et à affirmer le primat de ces dernières, les zapatistes semblent pointer le nécessaire dépassement d'un modèle, celui qui, à travers toutes ses variantes, se réclame de l'héritage guévariste.

On peut invoquer, pour conforter cette idée, une transformation du contexte politique général. Non pas la chute du mur de Berlin et la fin de l'affrontement bipolaire de la guerre froide, mais plus précisément l'une de leurs conséquences : l'achèvement du cycle des dictatures militaires latino-américaines, qui a dominé l'histoire du continent durant la seconde moitié du XXe siècle. En effet, le guévarisme repose sur le couple dictature/guérilla, et le Che considère explicitement l'existence d'un régime dictatorial comme la justification de la guérilla, autant que comme une condition indispensable à son succès. Or, les années 90 marquent le recul généralisé des dictatures au profit du modèle mondialement promu par les États-Unis : la démocratie de marché. La mise en accusation internationale de Pinochet, ainsi que d'autres dictateurs et de leurs subalternes, est le symbole d'une ère qui s'achève ; elle est le moyen spectaculaire par lequel les États-Unis et leurs alliés reconnaissent qu'ils n'ont plus (guère) besoin de cette violence trop explicite et proclament que leur domination est désormais mieux assurée par le grand jeu de la démocratie médiatisée, sous le règne autocratique du marché. Certes, les ambiguïtés ne manquent pas et, durant les années 90, le Mexique offre encore l'exemple d'un régime de parti-État, maintenu par des moyens qui pour n'être pas principalement militaires n'en sont pas moins peu démocratiques (de ce point de vue, la désignation insistante de Salinas comme dictateur, dans la première Déclaration, était une justification explicite de la lutte armée). Mais même cette dictature que l'on disait parfaite a fini par s'effondrer, en juillet 2000, au terme d'un processus auquel les zapatistes n'ont pas peu contribué (notamment en obligeant le parti-État à concéder en 1996 une réforme électorale qui a rendu possibles les succès de l'opposition à partir de 1997).

Ainsi, l'évolution de l'Ezln se produit au moment pertinent, lorsque l'imposition dictatoriale, justification fondamentale de la lutte armée de type guévariste, semble en passe de disparaître au profit de formes de domination plus sournoises mais non moins efficaces, qui obligent à développer de nouvelles stratégies de lutte. Si donc le zapatisme peut être considéré comme la guérilla de la fin de la guérilla, ce n'est nullement parce qu'elle serait « la der des der », mais parce qu'il s'agit d'une guérilla qui, dans un nouveau moment historique marqué par l'effacement des régimes dictatoriaux d'Amérique latine, s'est efforcé de produire, dans le processus même de son propre développement, le *dépassement* de la lutte armée de guérilla. Cela ne signifie pas nécessairement le renoncement aux armes et à la lutte violente, remisées pour l'éternité au placard de l'histoire – surtout dans un pays dont l'un des mythes fondateurs est la révolution du peuple en armes –, mais plutôt le dépassement du modèle « politico-militaire » guévariste au profit d'une articulation nouvelle de tous les moyens visant à la transformation sociale.

Critique du léninisme

L'une des affirmations zapatistes qui a le plus surpris est le refus insistant de la prise du pouvoir. Dès le 2 février 1994, Marcos s'interroge sur l'objectif du soulèvement : « la prise du pouvoir ? Non, une chose à peine plus difficile : un monde nouveau ». Ce type de déclaration ne peut être considéré seulement comme une conséquence de l'échec militaire du soulèvement, puisque, ainsi qu'on l'a dit, la première Déclaration indique déjà que l'Ezln n'a pas pour objectif de s'emparer du pouvoir, ni central, ni local. Et ce n'est pas seulement pour être une organisation militaire qu'il lui faut respecter ce principe, car le refus de la prise du pouvoir devient un point nodal de la nouvelle culture politique que les zapatistes entendent partager avec tous ceux qui, de par le monde, tournent leurs regards vers eux. Ainsi suggèrent-ils aux invités de la Rencontre intercontinentale qu'il « ne s'agit pas de prendre le pouvoir, mais de révolutionner sa relation avec ceux qui l'exercent et avec ceux qui le subissent » (mai 1996 ; formulation quelque peu ambiguë, puisqu'elle maintient une séparation entre ceux qui exercent le pouvoir et d'autres qui souffrent de son exercice), ou encore, dans une version moins équivoque mais plus métaphorique : « Il n'est pas nécessaire de conquérir le monde. Il suffit que nous le fassions neuf. Nous-mêmes » (30 janvier 1996). Enfin, ce même principe est assumé par le Front zapatiste (FZLN), l'organisation politique civile créée à l'initiative de l'Ezln. Le Front entend en effet être une « force politique qui n'aspire pas à la prise du pouvoir. Une force politique qui ne soit pas un parti politique. Une force politique qui puisse organiser les demandes et propositions des citoyens (...) Une force politique qui ne lutte pas pour la prise du pouvoir politique, mais pour une démocratie dans laquelle celui qui commande commande en obéissant » (1er janvier 1996). En outre, ses membres doivent renoncer à briguer des postes d'élection populaire. En bref, il s'agit de constituer une organisation politique non électorale, mais s'efforçant d'organiser la société de manière à avoir la force suffisante pour exercer un contrôle sur le pouvoir et exiger la satisfaction de ses demandes.

Quelques précisions sont nécessaires pour dissiper

de possibles malentendus et pour tenter de cerner le
sens historique de ce principe. En premier lieu, on
aurait tort d'y voir un « refus du pouvoir » dans tous ses
aspects ou un désintérêt pour toute préoccupation relative à l'exercice de l'autorité politique. Nous faisons
l'hypothèse que lorsque les zapatistes disent refuser la
prise du pouvoir, il faut comprendre qu'il s'agit de
renoncer à la lutte, tant militaire qu'électorale, pour le
pouvoir d'État. Ce qu'ils écartent, c'est la perspective
de la conquête de l'État. Mais l'observateur risquerait
de leur attribuer sa propre naïveté s'il en concluait que
les zapatistes négligent la question du pouvoir en général et de l'État en particulier. Au contraire, ils admettent la nécessité des partis politiques, des élections et
d'une organisation du pouvoir, tout en précisant que
leur rôle comme zapatistes n'est pas d'intervenir directement dans ce champ. Ils prétendent cependant y faire
valoir leur influence, comme toute autre force sociale,
par exemple en réclamant la destitution de Salinas et
la formation d'un gouvernement de transition, ou en
soutenant l'investiture d'Amado Avendaño comme
gouverneur du Chiapas en rébellion, à la suite de l'élection truquée de 1994. Enfin, la création des municipes
autonomes zapatistes, dont on ne saurait nier qu'ils
constituent une forme de gouvernement fortement
structurée, établit en toute évidence que les zapatistes
sont soucieux de construire de nouvelles structures de
pouvoir politique. Si cela ne contredit pas leur refus de
la prise du pouvoir, c'est parce qu'il s'agit pour eux de
construire ce nouveau pouvoir par en bas, en évitant
de tomber dans le piège déjà perçu par Marx à la suite
de l'expérience de la Commune de Paris lorsque, criti-

quant ses propres conceptions antérieures héritées du jacobinisme de la Révolution française et centrées sur «la conquête du pouvoir politique», il reconnaissait que la classe ouvrière «ne peut se limiter seulement à prendre possession de l'appareil d'État tel qu'il est et à s'en servir pour ses propres fins, mais qu'elle doit anéantir révolutionnairement l'appareil d'État bourgeois qu'elle rencontre sur son chemin».

Certes, les positions zapatistes à l'égard du pouvoir paraissent parfois contradictoires, peut-être parce qu'on ne se soucie pas assez de distinguer les différents contextes dans lesquels elles sont exprimées. Ainsi, lorsqu'il s'agit du parti-État dictatorial et corrompu du priisme, il ne peut y avoir d'autre attitude que le refus et le rejet radical de cette forme de pouvoir. Dans une seconde perspective (par exemple dans une phase de transition démocratique), les zapatistes semblent considérer que le pouvoir d'État reste une affaire de spécialistes (les partis politiques), tandis que la tâche d'une organisation zapatiste et de la société civile en général consiste à contrôler le pouvoir et à exercer sur lui les pressions nécessaires pour obtenir la satisfaction des revendications populaires. Le pouvoir continue alors d'exister comme une instance séparée, avec laquelle il s'agit cependant d'instaurer une nouvelle relation, puisque cette instance séparée tend à être réduite au rôle d'instrument, soumis à la volonté collective : «Nous voulons participer directement aux décisions qui nous concernent, contrôler nos dirigeants, quelle que soit leur filiation politique, et les obliger à commander en obéissant. Nous ne luttons pas pour la prise du pouvoir, nous luttons pour la démo-

cratie, la liberté et la justice» (30 août 1996). Enfin,
semble exister une troisième perspective, qui pousse
plus loin le désir de changement. Il s'agit alors de
repenser l'organisation politique en la construisant
depuis la société elle-même, de telle sorte que celle-ci
s'empare directement de toutes les actions politiques
qui sont à sa portée. L'idée d'autonomie (que l'on défi-
nira au chapitre IV) ne signifie rien d'autre que cette
logique d'autonomisation et d'auto-organisation de la
société, ce qui ne veut dire ni qu'elle s'empare elle-
même de l'État, ni que celui-ci disparaisse totalement.
Au total, le zapatisme semble mettre sur la table deux
propositions distinctes quoique compatibles, tout en
laissant ouverte la question de leur articulation (irréductible à une trop simple succession historique et sans
exclure par conséquent d'éventuelles contradictions
entre elles) : d'un côté, le maintien d'un appareil d'État
que la société contrôle *de l'extérieur* en l'obligeant à lui
obéir ; de l'autre, l'auto-organisation de la société qui
reconstruit d'elle-même et par en bas des formes de
pouvoir nouvelles.

Ce désintérêt pour la prise du pouvoir d'État et ce
désir de reconstruire l'organisation politique d'une
autre manière fait écho au zapatisme des années 1910.
On connaît l'épisode de l'entrée dans Mexico des forces
villistes et zapatistes en décembre 1914, et la scène qui
se déroula dans le Palais national où Villa et Zapata –
ce dernier, toujours songeur – prirent place tour à tour
dans le fauteuil présidentiel («pour voir comment ça
fait», dirent-ils). Même durant la brève expérience d'un
gouvernement qui compta en son sein plusieurs
ministres proches des zapatistes, ceux-ci – et Eufemio

même, le frère de Zapata – « parlent du gouvernement comme de quelque chose d'étranger qui ne leur appartient pas » (A. Gilly). Du reste, avant même l'entrée dans la capitale, la rencontre entre Villa et Zapata à Xochimilco annonce déjà leur imminent départ, ainsi - qu'en témoigne l'étonnant compte rendu de leur dialogue :

« Villa : – Je n'ai pas besoin de postes officiels : je ne sais pas m'en dépêtrer. On va voir de quel côté sont ces gens [du gouvernement] (...)

Zapata : – Nous autres, on s'est contenté de les aiguillonner comme il faut, d'un côté, de l'autre ; suffit de continuer à les tenir à l'œil (...)

Zapata : – C'est ceux qui se sont donné le plus de mal qui profitent le moins de ces fauteuils. D'ailleurs ce ne sont que des fauteuils. Moi, en tout cas, dès que je me mets dans un fauteuil, c'est tout juste si je ne tombe pas par terre.

Villa : – Ce patelin [Mexico] est trop grand pour nous, on est mieux là-bas. Vivement qu'on en termine ici, que je reparte en campagne dans le Nord. J'ai beaucoup à faire là-bas. Il va falloir encore se battre sérieusement. »

Il y a bien entendu de grandes différences entre l'état d'esprit que laisse voir cette conversation et les conceptions du zapatisme de la fin du xxᵉ siècle. Si l'attitude de Zapata et Villa semble exprimer le sens concret d'hommes attachés à leur terre, et étrangers au monde urbain et aux arcanes du pouvoir qu'il abrite, le point de vue néozapatiste inclut d'emblée une conscience nationale claire, soucieuse de ne pas se laisser enfermer dans le localisme de leurs illustres prédécesseurs. Reste cependant un point commun important : le refus d'assumer le pouvoir central, et l'idée que la tâche pertinente consiste plutôt à contrôler les gouvernants (« les tenir à l'œil », dit Zapata, un rien menaçant) et à fortifier l'organisation du mouvement social. Au reste, si Zapata quitte Mexico, c'est pour mieux contribuer au succès des luttes paysannes dans son État de Morelos. Là, s'impose non seulement une réforme agraire, mais aussi une ample révolution sociale, menée sur la base d'une auto-organisation des villages combinée avec la direction de l'état-major politique et militaire de Zapata, faisant office de gouvernement de Morelos et sachant prendre des décisions dans tous les domaines. Cette expérience, qui mérite bien le nom de « Commune de Morelos », ne fut pas seulement une lutte pour la terre, mais *une lutte pour la terre et le pouvoir* (A. Gilly). Le fameux cri de « Terre et liberté » synthétise du reste ce double aspect, puisque le second terme se réfère principalement au souci, si important pour Zapata, d'instaurer des municipes libres où puisse s'exercer l'auto-organisation des villages, sans ingérence des niveaux supérieurs de gouvernement (soit, pour l'essentiel, la revendication que l'Ezln entend prolonger sous le nom de municipes autonomes). Cet exemple aidera sans doute à mieux comprendre la posture des néozapatistes : pas plus pour eux que pour Zapata, le refus de la prise du pouvoir d'État ne signifie le renoncement à une lutte politique ni à la perspective d'une organisation nouvelle du pouvoir.

Enfin, pour résumer ces conceptions, on pourra écouter le cheval de Zapata qui, dans une lettre rendue publique par Marcos, relate ainsi le séjour des zapatistes dans la capitale, en 1914 : « Nous avons été là-bas juste pour faire un petit tour, parce que nous autres nous ne luttions pas pour le désir d'être au gouvernement, ou pour l'argent, ou pour posséder quoi que ce soit. Non, nous autres, nous luttions pour la terre et la liberté. C'est pour cela que peu après nous avons quitté la ville de Mexico, pour continuer à nous préparer pour la lutte» (10 avril 2000). On voit ainsi comment, en dépit des différences mentionnées, les néozapatistes se réapproprient l'épisode de 1914, le retranscrivent avec humour dans leur langage, pour mieux faire écho à leurs propres positions et les légitimer par cet exemple prestigieux. Pourtant, au cours de l'année 2001, le refus de la conquête du pouvoir d'État trouve une justification d'un type nouveau. Opérant une jonction avec l'analyse des effets de la globalisation, Marcos souligne que le pouvoir, échappant désormais aux États nationaux, est transféré à la puissance supranationale du capital financier. Il en découle un constat lapidaire : «Le lieu du pouvoir est désormais vide» (DR). Et une conséquence logique : «Cela ne sert donc à rien de conquérir le pouvoir.» L'argumentation se place ainsi sur un terrain différent, éliminant bien plus radicalement qu'auparavant la question du pouvoir d'État, devenue en quelque sorte sans objet. Pour autant, cette thèse n'est pas incompatible avec les propositions antérieures, à condition d'être soigneusement articulée avec elles (ainsi, on peut se demander quel sens revêt la proposition de bâtir «une nouvelle relation entre le pouvoir et les citoyens», de manière à faire pression sur lui et à obliger les dirigeants politiques à commander en obéissant, si le véritable pouvoir n'est plus entre leurs mains). Enfin, il est possible de considérer cette reformulation du problème comme un effet du nouveau contexte mexicain, marqué par la fin du parti-État priiste, qui libère de l'obligation de dénoncer un pouvoir central fort, voire dictatorial, pour mettre entièrement l'accent sur les conséquences du néolibéralisme, face à un gouvernement qui pratique sans retenue l'imbrication du pouvoir politique et des milieux d'affaires.

L'attitude zapatiste à l'égard du pouvoir s'inscrit sans doute à la confluence de plusieurs traditions : si les unes sont propres à l'histoire mexicaine et les autres communes à celle du continent latino-américain, c'est aussi, au-delà de la critique du guévarisme, tout l'héritage révolutionnaire d'inspiration léniniste qui semble en question. Ici, les zapatistes voient clairement le risque d'une vision jacobine (sans doute pertinente s'agissant de la bourgeoisie de la fin du XVIIIe siècle, mais trop tardivement et trop partiellement critiquée par le mouvement ouvrier), qui fait de la prise du pouvoir d'État la clé du processus révolutionnaire et l'instrument quasi exclusif d'une transformation de la société, renvoyée finalement à une seconde étape qui se fait toujours attendre. Or, l'expérience historique atteste que ce schéma entraîne une excroissance démesurée de l'État qui étouffe la société et contribue à en bloquer toute la dynamique de transformation. L'État impose alors sa propre conservation comme objectif primordial et devient le plus sûr rempart contre toute véritable révolution sociale. Il est donc possible de conclure que le modèle jacobin appliqué à la révolution prolétarienne conduit celle-ci à peu près inévitablement à l'échec.

C'est pourquoi les zapatistes entendent se prémunir

avec tant d'insistance contre l'obsession de la prise du pouvoir, et plus largement contre la vision d'un processus révolutionnaire se construisant par en haut. Ils déplacent la question du contrôle de l'État vers celle de l'organisation de la société, permettant une transformation par en bas : leur objectif est «la construction d'une pratique politique qui ne cherche pas la prise du pouvoir mais l'organisation de la société» (30 août 1996). Certes, les zapatistes ne sont pas les premiers à formuler cette critique, déjà avancée par Marx, mais plus que jamais nécessaire après les égarements auxquels l'obsession de la prise du pouvoir a conduit les efforts révolutionnaires du XXᵉ siècle. Et c'est bien une telle réorientation, comparable à celle que suggère l'épigraphe de ce chapitre, que tente le mouvement zapatiste, dont le refus de la prise du pouvoir a une valeur essentiellement critique, comme l'indique en toute netteté cette affirmation : «Pour que nous puissions construire cela [le processus de transformation de l'Ezln], nous avons pensé qu'il fallait reformuler le problème du pouvoir, ne pas répéter la formule selon laquelle pour changer le monde il est nécessaire de prendre le pouvoir et, une fois au pouvoir, alors oui, on organisera le monde comme il lui convient le mieux, c'est-à-dire comme il me convient le mieux à moi qui suis au pouvoir» (30 juin 1996).

Le refus zapatiste de se considérer comme une avant-garde, en étroite association avec le refus de la prise du pouvoir d'État, confirme que l'enjeu est bien une critique de l'héritage léniniste. Certes, toute idée d'avant-garde n'est pas nécessairement à rejeter, si l'on entend par là le rôle que peuvent jouer – comme *médiateurs* plutôt que comme chefs – les individus ou les groupes parvenus à un degré aigu de conscience de la réalité sociale. Mais lorsque les zapatistes affirment avec insistance, dès le 20 janvier 1994 : « Nous ne prétendons pas être l'avant-garde historique, une, unique et véritable », ce n'est pas à ce sens-là, effectivement acceptable, qu'ils se réfèrent, mais bien plutôt à l'usage dominant de cette notion au cours du XXe siècle, dans le sillage du léninisme. Ce qu'il s'agit de refuser c'est l'idée d'un *parti (ou d'une organisation) d'avant-garde* qui, de fait, a conduit historiquement à la légitimation d'un groupe dirigeant, de plus en plus séparé de ceux au nom desquels il était censé exercer son pouvoir, et finalement installé au-dessus d'eux. Il y a certes des différences entre le Lénine de 1904 et celui de 1917, mais ces variations n'altèrent pas le présupposé fondamental (et malgré la consigne « tout le pouvoir aux soviets », la logique du parti bolchevique l'a très vite emporté sur celle des conseils) : le Parti constitue l'avant-garde autoproclamée, éclairée par la connaissance des lois de l'histoire et capable de guider le prolétariat vers la réalisation de son destin providentiel. Dans l'écart, souvent gigantesque et jamais résorbé, entre l'être (généralement passif) du prolétariat et son essence (supposée révolutionnaire), se dilate l'espace de pouvoir du parti d'avant-garde, qui finit par s'instituer en détenteur exclusif de cette essence révolutionnaire du prolétariat.

Ce glissement pervers est facilité et amplifié par la théorie de la dictature du prolétariat (c'est-à-dire plus largement par la distinction, solidifiée par Marx lui-même, entre les deux étapes de la révolution). Car si la conception du parti comme avant-garde conduit à une appropriation du pouvoir, désormais séparé de la classe au nom de laquelle il s'exerce théoriquement (avant que ce pouvoir séparé ne se consolide en une classe bureaucratique) et si l'avant-garde est autorisée à prétendre qu'elle incarne l'essence même du prolétariat, il en découle qu'elle peut exercer en son nom la dictature caractéristique de la phase socialiste de la révolution. La dictature du prolétariat se transforme alors, dans l'expérience bolchevique, en dictature *au nom du* prolétariat, et finalement en dictature *sur* le prolétariat (sans parler du fait que le pouvoir du Parti produit sa propre caricature sous l'espèce de la dictature d'un seul homme *sur* le Parti lui-même). C'est donc un triple nœud théorique, réalisé dans l'expérience bolchevique, qui ouvre la voie à la dérive stalinienne de l'URSS et du mouvement ouvrier en général : l'obsession jacobine de la conquête de l'État (et la survalorisation de l'appareil d'État comme moyen de transformation révolutionnaire), la conception du Parti comme avant-garde (autoproclamée) et la dictature du prolétariat, principe immanquablement détourné à son profit exclusif par l'avant-garde.

À l'inverse, le refus réitéré de l'Ezln d'avoir « le douteux honneur d'être l'avant-garde des multiples avant-gardes dont nous souffrons » (8 août 1994) conduit à privilégier la logique du mouvement social sur celle de l'organisation. Il en découle une dévalorisation volontaire de l'Ezln comme organisation (que Marcos définit comme « une sacrée pagaille », RZ). Et si elle doit autolimiter son propre rôle, ce n'est pas seulement parce qu'elle est une armée, mais plus largement parce qu'elle doit reconnaître que le zapatisme est davantage que l'Ezln : le néozapatisme, précise le sous-commandant, est « quelque chose qui déjà ne nous appartient plus, qui n'appartient pas à l'Armée zapatiste de libération nationale, qui bien entendu n'appartient pas à Marcos, mais pas davantage aux seuls zapatistes mexicains » (30 juin 1996). Dans cette étonnante proclamation de dessaisissement, joue pleinement la volonté d'inverser la redoutable tendance qui a conduit les partis d'avant-garde à se considérer comme les détenteurs de l'essence de la classe ou du groupe au nom duquel ils étaient censés agir. Ici, au contraire, non seulement l'Ezln ne prétend nullement détenir une vérité exclusive, mais il reconnaît que le mouvement qu'il a suscité n'a pu se développer sans de multiples apports extérieurs, nationaux et internationaux, de sorte qu'il ne saurait s'approprier l'idée même du zapatisme et s'en considérer comme le seul dépositaire légitime. L'organisation existe comme telle, indubitablement, mais elle doit savoir que la primauté revient au mouvement social qui l'englobe, la dépasse et lui a permis d'exister et de se développer.

Car l'objectif fondamental, proclamé par l'Ezln, ne peut pas être son propre renforcement comme organisation, mais l'amplification du mouvement social. Son but n'est pas la prise du pouvoir pour elle-même, mais la mobilisation de la société civile. Mais qu'est-ce exactement que cette « société civile » à laquelle l'Ezln en appelle sans répit, pour lui céder la primauté ? Le concept a été amplement critiqué pour son flou et sa mollesse théorique. Il est vrai qu'il est aussi complexe et porteur d'ambiguïté que celui de « peuple », dont il

semble avoir pris le relais dans le vocabulaire récent
(«le peuple mexicain, que l'on appelle aujourd'hui
société civile», 5 mai 1994). C'est d'abord à travers ce
qu'elle n'est pas que l'on peut cerner la notion de
société civile. En premier lieu, la société civile s'oppose, très classiquement, à l'État, au gouvernement. Et
c'est pourquoi les heures dramatiques du tremblement
de terre qui dévaste Mexico en septembre 1985 sont
tenues pour la date de naissance de la société civile
mexicaine : alors, «tandis que le gouvernement
vacillait entre les déclarations mensongères et le vol de
l'aide humanitaire, la société civile s'organisait elle-
même pour faire revivre et reconstruire la ville» (19
septembre 1996). Et, dans le texte qui rend hommage
à cette mobilisation spontanée, Marcos oppose radicalement deux pays (et deux notions) : d'un côté, le pouvoir (et son projet néolibéral), de l'autre, la société (et
ses vertus de solidarité). D'autre part, la société civile
se définit aussi en s'opposant aux partis, et plus largement à toutes «les organisations politiques, armées et
non armées» dont l'objectif est l'exercice du pouvoir :
la société civile, ce sont «les sans-parti» (17 décembre
1994). Faut-il alors définir la société civile par son
étrangeté à toute organisation, comme le suggère Marcos lorsqu'il ironise sur la folie de convoquer cette
«masse informe, désorganisée et fragmentée jusqu'au
microcosme familial, que l'on nomme la société civile»
(8 août 1994)? Pourtant, s'il est vrai que l'appel à la
société civile entend faire converger des individus isolés, la notion englobe aussi les organisations sociales
indépendantes et le réseau associatif, c'est-à-dire l'ensemble des organisations qui ne visent pas l'exercice

de fonctions politiques, mais le service rendu aux citoyens et leur mobilisation en faveur de leurs propres revendications. En bref, la société civile peut se définir, positivement cette fois, par la *dynamique* qui seule lui permet d'exister effectivement : elle apparaît alors comme «une nouvelle force politique et sociale» que composent tous ceux qui se mobilisent. C'est une inorganisation qui s'(auto)organise ; c'est le mouvement social, qui prend parfois la forme d'une association citoyenne mais dépasse toujours ses propres organisations, et qui exerce une fonction politique tout en restant extérieur à la sphère de l'État et des partis.

Privilégiant la société civile sur le pouvoir et le mouvement social sur l'organisation, l'Ezln se donne pour objectif la création d'un espace démocratique permettant à la société de résoudre elle-même ses problèmes, comme il l'indique dès janvier 1994, avant de préciser deux ans plus tard qu'il entend «se convertir en une impulsion pour la transformation radicale de toutes les relations sociales» (15 février 1996). Dans le même texte, les zapatistes expliquent qu'ils ne conçoivent pas les dialogues de San Andrés comme une négociation entre l'Ezln et le gouvernement, mais comme «l'espace du dialogue national, le forum d'expression tant désiré, où la société mexicaine construit un nouveau projet de nation». Et l'Ezln surprend tous les membres de sa délégation (invités représentant d'amples secteurs de la société mexicaine) en leur affirmant, deux jours avant le début du dialogue, que «la ligne est qu'il n'y a pas de ligne», en expliquant que l'Ezln est au service de ses invités et conseillers et non le contraire, et qu'il soutiendra les propositions résultant du consensus établi entre eux (H. Díaz-Polanco). Déjà, l'organisation de la Convention démocratique nationale – quels qu'aient été finalement ses échecs – répondait à ce principe : offrir à la société mexicaine un espace de discussion, remettre entre ses mains le devoir de transformer le pays, tout en avertissant la CND elle-même que « le droit à se considérer comme représentative » n'est jamais acquis et doit s'éprouver sans cesse dans la réalité des luttes sociales. Quant aux zapatistes, ils refusent alors de participer à la présidence de la CND (signe de « notre décision de ne pas imposer notre point de vue ») et préviennent : « Nous ne voulons ni ne pouvons occuper le lieu que certains espèrent nous voir occuper, le lieu d'où émanent toutes les routes, toutes les réponses, toutes les vérités » (30 août 1994). Non seulement l'Ezln se place en retrait de la réunion qu'il convoque (« Ce n'est pas notre moment, ce n'est pas l'heure des armes ; nous nous tiendrons sur le côté, mais sans nous en aller »), mais il proclame sa subordination, non seulement à la CND mais au mouvement social effectif (« À elles [les mobilisations civiles et pacifiques] nous nous subordonnons, y compris au point de disparaître nous-mêmes comme alternative » ; puis le 30 août 1996, Marcos interroge la société civile : « Avons-nous cessé d'être utiles ? De servir à quelque chose ?... Si désormais prend fin notre moment, alors qu'il en soit ainsi »). Le primat du mouvement social sur l'organisation doit conduire à limiter le rôle de celle-ci et doit finalement être assumé jusqu'à son ultime conséquence : l'autodissolution de l'organisation.

Évidemment, on se demandera si l'Ezln a toujours

été à la hauteur de principes si exigeants. Certains, par exemple, ont pu suggérer que la devise « Tout pour tous, rien pour nous » (*Todo para todos, nada para nosotros*) trahissait, sous ses dehors généreux, le maintien d'une séparation entre l'organisation (« nous ») et ceux au nom de qui elle agit (« tous »), et qu'en outre elle exaltait une idée du renoncement sacrificiel, dangereusement susceptible de légitimer la supériorité des dirigeants sur ceux qu'ils représentent. Cette remarque a certes le mérite de mettre en garde contre une ambiguïté de cette formule, dès lors que le désintéressement ferait office d'autosacrifice exhibé comme titre de pouvoir. Mais on peut aussi en proposer une autre interprétation. Car le « rien pour nous » peut s'entendre comme un « rien pour nous comme organisation », sans pour autant exclure que ceux qui la composent reçoivent la part du « tout » qui leur revient en tant que membres de la communauté du « tous ». Pour peu que l'on veuille bien comprendre « tout pour tous, rien pour nous de plus que pour tous », la formule revendique pour l'organisation l'absence du moindre privilège et le refus de tout statut particulier. Au reste, les bases d'appui zapatistes ne s'y trompent pas, lorsqu'elles expliquent que ce principe signifie que « les zapatistes ne demandent rien qui soit uniquement pour eux ». Quant à la pratique elle-même, il serait surprenant qu'elle ne prête en rien le flanc à la critique, et il est fort probable que l'Ezln, en plus d'une occasion, ait été plus dirigiste qu'il ne le prétend, adoptant les décisions qu'il croyait justes, quand bien même celles-ci ne bénéficiaient pas du consensus de la société civile, du reste bien difficile à établir. Il n'est pas jusqu'à un ancien conseiller de l'Ezln et éditeur de ses textes qui dénonce, avec une sévérité peut-être pas tout à fait dénuée de passion, «l'incapacité rebelle à établir des alliances amples et durables», ou encore «une infinité d'intolérances et de rancœurs nouvelles» et «des attitudes d'isolement et de paranoïa politique» (A. García de León). On pourra aussi observer que c'est toujours l'Ezln qui lance les initiatives et les invitations à l'intention de la société civile et qui organise les conditions de sa propre mise en retrait. Son principe consiste à privilégier le mouvement social par rapport à l'organisation, mais c'est encore une organisation qui énonce cette nécessité. Bien entendu, il faudrait, pour échapper à cette critique, renoncer à exister comme organisation (ou du moins à toute initiative politique), perspective dont l'Ezln admet la possibilité sans l'avoir mise en pratique encore. Or, tant qu'elle existe comme telle, c'est une tentation sans doute inévitable de toute organisation que d'user de son prestige pour transformer en décisions les thèses qu'elle pense justes (même quand elle a perdu la certitude de détenir la vérité absolue) et de s'arroger en pratique un rôle plus important que celui que sa propre théorie lui reconnaît.

Enfin, on ajoutera que l'Ezln renonce à faire usage de la notion de dictature du prolétariat. Non seulement il en appelle à la société civile, délaissant ainsi le concept de prolétariat (comme on le dira plus en détail au chapitre suivant), mais il exclut également que les forces du mouvement social imposent une quelconque dictature, et inscrit au contraire la démocratie parmi ses principes les plus fondamentaux. Ainsi, en 1994, les zapatistes recommandent le recours à une voie paci-

fique de transition à la démocratie, à travers l'organisation d'élections libres et transparentes (sans oublier
la nécessité de la résistance civile pour défendre la
volonté populaire contre la fraude gouvernementale).
Si l'attitude zapatiste à l'égard des processus électoraux
a pu osciller en fonction des circonstances, depuis l'appel à la participation jusqu'à l'indifférence ou la dénonciation hostile, le principe énoncé dès 1994 est celui
d'une reconnaissance de la légitimité des processus
électoraux, pourvu qu'ils soient exempts de fraudes et
équitables. Mais les zapatistes soulignent en même
temps que le vote ne peut suffire, si manque la mobilisation de la société faisant pression sur les gouvernants
pour obtenir satisfaction à ses demandes. C'est pourquoi ils luttent « pour la démocratie en tout et pas seulement en matière électorale » (1er janvier 1996). Si la
démocratie électorale fait partie de la démocratie, celle-
ci « doit aller au-delà de la démocratie électorale »
(3 mars 1996). À la veille de l'élection présidentielle de
l'an 2000, les zapatistes rappellent encore cette position : « La démocratie électorale n'épuise pas la démocratie, mais elle est une part importante de celle-ci.
C'est pourquoi nous ne sommes pas anti-électoralistes.
Nous considérons que les partis politiques ont un rôle
à remplir (nous ne sommes pas non plus antipartis,
bien que nous soyons critiques envers la pratique des
partis) » ; mais ils font également valoir leur prise de
distance : « Le temps électoral n'est pas le temps des
zapatistes. Non seulement parce que nous sommes sans
visage et à cause de notre résistance armée. Aussi et
surtout à cause de notre désir de trouver une nouvelle
forme de pratique politique, qui a peu ou rien à voir

avec la forme actuelle.» De fait, la démocratie ne peut se limiter à l'expression de la volonté populaire un jour tous les trois ou six ans, mais suppose une mobilisation constante de la société et doit se diffuser comme une pratique quotidienne dans l'ensemble des activités sociales : «Dans la vision zapatiste, la démocratie est quelque chose qui se construit d'en bas et avec tous (...) La démocratie est l'exercice du pouvoir par les gens tout le temps et en tous lieux» (19 juin 2000).

Il découle de l'ensemble critique que l'on vient d'analyser l'affirmation d'un certain nombre de principes que les zapatistes placent au centre d'une nouvelle pratique politique à construire. Il s'agit en premier lieu d'une action politique «qui fonde ses valeurs essentielles sur l'inclusion et la tolérance» (30 juin 1996). L'énoncé pourra sembler exagérément œcuménique, voire dangereusement acritique. Mais qu'on se rassure : en bons militaires, les zapatistes savent mieux que quiconque qu'on n'intègre pas l'ennemi à ses propres troupes (ils ont cependant souvent surpris en invitant leurs adversaires politiques, pour dialoguer avec eux et parfois pour tenter de les transformer ou pour les circonscrire). Cette réserve faite, on pourra apprécier la valeur critique de ce principe, qui vise à rompre avec la maladie généralisée des organisations (marxistes ou non) : le sectarisme. À cet égard, les zapatistes, connaissant bien les travers de la gauche mexicaine, n'avaient pas tort de recommander à la CND «la maturité nécessaire pour ne pas convertir cet espace en un règlement de compte interne, stérile et castrateur». Un autre remède non moins utile est la capacité de l'Ezln à reconnaître qu'il ne *sait pas*, parfois poussée jusqu'à l'indéfinition (dont on reparlera), sa disposition à accepter ses erreurs et y compris ses infractions au principe de tolérance («Nous répétons sans cesse qu'il faut être tolérant et que nous ne sommes pas l'avant-garde, mais dans nos critiques envers d'autres forces politiques, nous donnons parfois l'impression de nous croire l'avant-garde», RZ), ainsi que le précepte, offert à tous, selon lequel il convient de savoir écouter plus que parler (dans un monde où on sait beaucoup parler et fort peu écouter). Ce sont là autant d'efforts pour rompre avec une expérience historique au cours de laquelle on s'est amplement trompé au nom de certitudes trop parfaites, car ce fut le propre de l'avant-garde, détentrice de vérités inébranlables, de dégénérer en dogmatismes pétrifiés.

D'autres principes entendent s'attaquer plus particulièrement à la dérive de toute délégation de pouvoir et de toute représentation, qui tend à se constituer en instance séparée et à faire prévaloir ses intérêts particuliers sur les intérêts généraux de ceux qu'elle représente. La critique se fonde sur l'expérience des organisations paysannes du Chiapas et du Mexique – plus sans doute que sur l'analyse du «socialisme réel» – et vise directement leur tendance trop connue au *caudillismo*, ainsi que toutes les formes de caciquisme dont le monde indigène a pu souffrir. C'est pourquoi, lors de la réunion du Forum indigène en février 1996 (converti par la suite en Congrès national indigène), sont énoncées les règles suivantes : «*servir et non se servir*» (servir de pont et non pas se servir de la fonction pour s'élever au-dessus des autres) ; «*représenter et non supplanter*» (empêcher que la représen-

tation ne se substitue à ceux qu'elle représente) ;
« *construire et non détruire* » (non pas détruire les autres
organisations, mais rechercher une convergence et un
consensus) ; « *obéir et non commander* » (le peuple ou
les membres de l'organisation commandent, les délégués sont leurs serviteurs) ; « *proposer et non imposer* »
(il faut « écouter les conceptions qui sont différentes des
nôtres », rien ne peut être décidé qui ne soit expliqué et
accepté) ; « *convaincre et non vaincre* » (convaincre pour
unir et non vaincre en divisant) ; « *descendre et non
monter* » (les délégués doivent réunir l'information et
les demandes auprès de la base et non se projeter dans
une sphère séparée, au-dessus d'elle). Autant de décli-
naisons pour tenter de contrer le dogmatisme, le sectarisme et la dérive « substitutionniste » des organisations.

Le fameux *mandar obedeciendo* (commander en
obéissant) résume ces exigences et, pour cela, prend
place au centre d'une vision de la politique et de la
démocratie qui n'appartient pas en propre aux zapatistes et s'exprime aussi amplement à l'intérieur du
mouvement indigène. Expérimenté sans doute dès les
années 70 au sein des communautés, dans le cadre de
leur refondation, que favorise le travail pastoral de
l'Église, ce principe est désormais invoqué tant dans la
relation entre les membres d'une organisation et ses
représentants qu'entre le peuple et le gouvernement.
S'il convient de préciser d'emblée qu'il n'aurait pas de
sens sans son indispensable conséquence pratique – la
révocabilité immédiate des dirigeants –, comment
comprendre le *mandar obedeciendo* ? Sa formulation
même suggère une relation verticale : il existe des diri-

geants qui commandent ; tous les individus ne sont donc pas sur un même plan. Mais cette relation verticale n'est pas unilatérale (les uns obéissent, les autres commandent) ; elle est double et réciproque : il n'est légitime de commander que si, ce faisant, on obéit à la volonté générale ; et on obéit seulement si les directives que l'on reçoit sont conformes aux consignes données. La verticalité du *mandar obedeciendo* n'aurait-elle donc rien à voir avec un autre principe, souvent invoqué par les zapatistes, qui fait prévaloir des relations *horizontales*, fondées sur la recherche du consensus et l'accord comme base de l'action collective ? Voici comment, dès le 26 février 1994, durant le dialogue de la cathédrale, un communiqué explique le *mandar obedeciendo*, en suggérant qu'il est antérieur même au cocktail zapatiste et en insistant sur le fait qu'il s'enracine dans l'expérience forgée par la lutte des communautés indigènes : « Notre chemin a toujours été que la volonté de la majorité se fasse commune dans le cœur des hommes et des femmes de commandement. Cette volonté majoritaire était le chemin que devait suivre le pas de celui qui commandait. Si sa marche s'écartait de ce que les gens tenaient pour raison, le cœur qui commandait devait être changé pour un autre qui obéisse. Ainsi naquit notre force dans la montagne : *celui qui commande obéit* s'il est authentique, celui qui obéit commande à travers le cœur commun des hommes et des femmes véritables. Un mot vint de loin pour que cette manière de gouverner soit nommée, et ce mot nomma "démocratie" notre chemin, qui avançait bien avant que les mots ne cheminent. »

On voit clairement dans ce texte comment le *mandar*

obedeciendo s'articule au principe d'horizontalité, dans la mesure où celui qui commande authentiquement doit respecter l'accord de la communauté, expression de sa volonté majoritaire ou unanime. Celui qui commande en obéissant devient « le cœur commun » de tous ; il sait donner forme à la pensée de tous et pour cela incarne la communauté de ceux qui obéissent en lui commandant. De fait, les différentes langues mayas du Chiapas utilisent des termes différents pour désigner le dirigeant qui commande en obéissant et celui qui commande en commandant (*manda mandando*), c'est-à-dire qui impose de manière autoritaire sa propre vision (C. Lenkersdorf). Ainsi, la verticalité réciproque du *mandar obedeciendo* n'a de sens que si elle fait prévaloir l'horizontalité par laquelle la communauté (ou toute autre collectivité) parvient à l'accord auquel les dirigeants doivent se soumettre. Mais, pour autant, on ne croit pas pouvoir affirmer que le *mandar obedeciendo* se résorbe entièrement dans la seule horizontalité du consensus, sans quoi on risquerait d'occulter la dimension hiérarchique qui fait également partie du fonctionnement communautaire et que les textes zapatistes assument en mentionnant explicitement le rôle de commandement des dirigeants-serviteurs. On dira donc plutôt que le *mandar obedeciendo* articule, en son sein même, la verticalité du commandement et l'horizontalité du consensus.

Au reste, cette tension est encore accrue s'agissant de l'Ezln, qui conjoint une armée, qui ne saurait fonctionner autrement que selon des règles strictement hiérarchiques, et des communautés habituées à la prise de décision à travers la discussion collective et la recherche de l'accord. De fait, il existe, au sein de l'Ezln, une contradiction entre l'horizontalité communautaire et la verticalité militaire. Les zapatistes ont sans doute souhaité faire prévaloir l'horizontalité (à travers la dépréciation de la dimension militaire au bénéfice des civils et par l'usage le plus radical du *mandar obedeciendo*). Mais il est indéniable que le sens de la discipline, le respect suscité par les chefs et la soumission aux ordres venus d'en haut, propres à toute formation armée, ont eu tendance à faire amplement sentir leurs effets, jusqu'au sein du zapatisme civil. Et il est même très probable que la situation de blocage induite par le gouvernement, en obligeant au maintien de la structure militaire dans une position défensive fort inconfortable, ait provoqué une involution au bénéfice des réflexes verticaux et au détriment de l'horizontalité démocratique.

Au total – et en dépit des limitations signalées – l'effort zapatiste pour construire une nouvelle conception de l'action politique tente de rompre avec trois principes qu'on peut situer au cœur du léninisme : l'insistance sur la prise du pouvoir d'État, la définition du parti comme avant-garde et la dictature du prolétariat. Or, cet ensemble porte en lui la séparation entre l'organisation révolutionnaire et ceux qu'elle est censée représenter, et donc l'accentuation ultérieure de cette séparation jusqu'à l'imposition d'une dictature sur le prolétariat par un parti détenteur d'une vérité figée en dogmes indiscutables – avec toutes les conséquences les plus délirantes et les plus tragiques qui ont marqué l'histoire du XXe siècle. C'est précisément à ce redoutable triptyque que s'attaquent les zapatistes, en rejetant dans un même mouvement l'obsession de la conquête du pouvoir d'État, la conception d'une organisation d'avant-garde et la notion de dictature du prolétariat.

Critique (inaboutie) du marxisme

Malgré la cohérence de cette avancée critique, on doit observer que la question des rapports entre le zapatisme et le marxisme n'est pas abordée frontalement et tend même à être occultée. Certes, les aspects déjà abordés relatifs au guévarisme et au léninisme impliquent une certaine critique du marxisme. Faire la critique du léninisme, c'est faire la critique de la forme léniniste du marxisme (et ce devrait être aussi faire la critique de ce qui, dans la pensée de Marx, permet de donner forme au léninisme). Pourtant, on croit pouvoir dire que les zapatistes s'arrêtent à la critique du léninisme sans remonter à ce qui chez Marx légitime la forme léniniste du marxisme, parce qu'ils sont avant tout soucieux de répondre, par une nouvelle conception de la lutte politique et de l'organisation révolutionnaire, aux défis posés par l'expérience historique issue du bolchevisme. Leur critique s'en tient donc, pour l'essentiel, au triptyque déjà analysé comme fondement de la version léniniste du marxisme, dominante au cours du siècle écoulé.

Certes, les zapatistes, en certains points, remontent plus haut. Ainsi, lorsqu'ils abandonnent la notion de dictature du prolétariat et privent ce dernier de son rôle d'acteur révolutionnaire exclusif (comme on le verra au prochain chapitre), ils soumettent à rude épreuve l'un des piliers de la théorie élaborée par Marx et Engels. C'est également le cas lorsqu'ils proposent une reformulation critique de la notion de révolution. Cela ne signifie nullement le renoncement à la perspective d'un changement radical : « Il n'y a pas de changement sans rupture. Est nécessaire un changement profond, radical, de toutes les relations sociales dans le Mexique d'aujourd'hui. EST NÉCESSAIRE UNE RÉVOLUTION, une nouvelle révolution » (juin 1995). Mais le même texte rappelle que, dès janvier 1994, un communiqué déjà cité ici impliquait une nouvelle « conception de la révolution (avec minuscules, pour éviter les polémiques avec les multiples avant-gardes et sauvegardes de LA RÉVOLUTION) ». Non seulement il s'agit d'une « conception incluante, anti-avant-gardiste et collective » qui cesse de se focaliser sur « le problème de L'organisation, LA méthode, LE chef », mais aussi d'un changement de perspective qui considère non plus la conquête du pouvoir mais quelque chose d'antérieur à cela : « Il s'agit de parvenir à construire l'antichambre du monde nouveau (...) Cela confirme-t-il l'hypothèse selon laquelle les zapatistes sont des réformistes armés ? Nous pensons que non. Nous signalons seulement qu'une révolution imposée, sans l'aval des majorités, finit par se retourner contre elle-même (...) En somme, nous ne proposons pas une révolution orthodoxe, mais quelque chose de beaucoup plus difficile : une révolution qui rende possible la révolution... » Certes, ce texte comporte une dimension conjoncturelle, puisqu'il se réfère à la lutte contre le système du parti-État mexicain et à la recherche d'une voie vers la

transition démocratique. Cependant, le glissement de
LA Révolution à *la* révolution est porteur d'une suggestion plus générale. La révolution au sens zapatiste
peut alors être considérée comme « un mouvement à
partir de, et non un mouvement vers » ; « c'est une révolution, mais ce n'est pas une Révolution, au sens où elle
aurait un grand plan, au sens d'un mouvement pensé
pour accomplir le Grand Événement qui changera le
monde » (J. Holloway). Ce que de telles formulations
suggèrent, ce n'est pas le renoncement à l'utopie, mais
l'abandon de la croyance en un événement inéluctable
et messianique, conduisant à un monde planifié par
anticipation et entièrement connu d'avance.

Pourtant, en dépit de telles avancées, la question de
la relation au marxisme, prise globalement, semble le
plus souvent faire l'objet d'une occultation ou d'une
sorte d'« oubli ». Certes, l'origine marxiste de l'Ezln
n'est jamais niée et la présence du marxisme parmi les
ingrédients qui ont donné naissance au cocktail zapatiste est clairement reconnue. Mais le statut de son rapport *présent* au marxisme n'est à peu près jamais évoqué. Aussi le déni de cette question laisse-t-il parfois
éclater le retour d'un surprenant dogmatisme. C'est le
cas d'une lettre de Marcos envoyée en octobre 1994 à
Adolfo Gilly et commentant, à la demande de ce dernier, un texte de l'historien italien Carlo Ginzburg
(l'ensemble du dossier est publié dans le volume *Discusión sobre la historia*). Il s'agit sans doute d'un des
textes les moins heureux du sous-commandant, pris
malgré lui dans un quiproquo en partie créé par son
correspondant et par la méprise de ce dernier quant à
la portée du texte choisi comme objet du débat. Le

résultat, de peu de valeur, comparé à la richesse des conceptions zapatistes de l'histoire exprimées dans les communiqués, est l'un des très rares textes dans lesquels Marcos se définit ouvertement comme marxiste. Il y appelle à revenir au matérialisme historique, se lamentant qu'il ne soit plus de mode, et revendique fermement son lien avec Marx et le Lénine de *Matérialisme et Empiriocritique*. Il s'y réfère à la « science de l'histoire » fondée par Marx, et répète le schéma manichéen d'un combat entre deux camps irréconciliables : l'idéalisme bourgeois, démasqué par un intérêt vain pour les illusions du sujet, et le matérialisme révolutionnaire, pour lequel seuls les phénomènes collectifs et les logiques sociales globales méritent l'attention. Enfin, il n'hésite pas à réduire toutes les propositions méthodologiques en matière historique à la simple identification de la position de classe qui les soutient. Le rejet provoqué par la lecture de l'essai de C. Ginzburg est si brutal et si catégorique que c'est dans le post-scriptum de cette lettre que Marcos ressent la nécessité d'opposer la nouveauté du néozapatiste à la vieille conception carrée du monde, cabossée par la confrontation avec la réalité indigène. Mais cette mention *in extremis* est plus que paradoxale, car le lecteur se demande alors où il pourrait bien trouver « quelque chose de nouveau » dans pareille lettre. Ne répète-t-elle pas, quant à la vision de l'histoire, la vieille « conception carrée » d'antan ? N'est-il pas contradictoire de ne reconnaître que des positions de classes, quand l'Ezln admet la nécessité d'intégrer à l'analyse une multiplicité de critères, notamment ethniques et de genre ? De rejeter toute dimension individuelle, quand le zapatisme prône le respect de toutes les différences entre les groupes et les êtres ? On ne peut expliquer cette irruption saugrenue d'un marxisme passablement poussiéreux uniquement par la date de la lettre (en arguant d'une évolution encore incomplète vers la synthèse zapatiste). Le malentendu créé par A. Gilly, en suscitant chez le sous-commandant une irritation un rien agressive, en constitue sans aucun doute l'élément déclencheur. Mais l'incident n'a pas créé ce qu'il révèle, c'est-à-dire une relation non critique au marxisme. C'est pourquoi on se permet de penser que le zapatisme s'est par trop contenté d'occulter sa relation présente au marxisme (ne l'évoquant que comme un ingrédient dissous dans le cocktail zapatiste) et que ce déni a parfois pour contrepartie un retour du refoulé dogmatique.

Un autre indice des limites de la critique zapatiste se repère aux ambiguïtés des mentions relatives au «socialisme réel» (expression dépourvue de la moindre pertinence, dans la mesure où le seul réel auquel elle saurait se référer est la trahison systématique du projet révolutionnaire : comme l'indiquait K. Korsch, en 1929, «l'URSS d'aujourd'hui a en commun avec les idées révolutionnaires des conseils de 1917-1918 exactement la même chose que la dictature fasciste du vieux social-démocrate révolutionnaire Mussolini en Italie»). Certes, Marcos reconnaît que l'effondrement du bloc soviétique laisse voir «la satisfaction des peuples qui étaient censés avoir été libérés par le socialisme» et rend manifeste l'inviabilité d'une organisation politique antidémocratique imposée d'en haut. Pourtant, il semble aussi reconnaître que c'est

seulement en 1989 que les membres de l'Ezln prirent
conscience que le «socialisme réel» n'avait rien de
réellement socialiste («Auparavant, nous avions la sen-
sation que le monde pour lequel nous luttions existait,
était réel», RZ). On sera donc surpris de lire qu'en août
1997, dans le texte consacré à la «quatrième guerre
mondiale», Marcos indique encore que la guerre froide
fut un affrontement «entre le capitalisme et le socialisme», sans mettre à ce dernier terme les moindres
guillemets, que du reste viendraient démentir l'affirmation selon laquelle les coups de la guerre froide
«finirent par couler le camp socialiste comme système
mondial et par le dissoudre comme alternative
sociale». Suggérer que l'URSS, au moment de son
écroulement, méritait le nom de socialiste et était por-
teuse d'un projet alternatif crédible suggère un étrange
déficit d'analyse, que contredit du reste tout l'effort
zapatiste pour tirer les conséquences critiques de cette
sinistre expérience et pour rompre avec les principes
autoritaires et jacobinistes du léninisme, qui ont favorisé la dérive stalinienne. C'est là, semble-t-il, un point
où la rupture avec les habitudes de pensée issues de
l'orthodoxie léniniste et guévariste ne s'est pas accomplie. Ici, le caractère acritique de la relation au
marxisme fait régresser en deçà de la critique du léninisme, puisqu'elle n'est même pas une critique de la
dogmatique issue du stalinisme.

Les indices que l'on vient de mentionner pourraient
faire conclure que Marcos est «marxiste», voire
«marxiste orthodoxe». Mais ce serait juger de façon
tendancieuse, sur la base de données éminemment
partielles. En outre, le problème n'est pas de savoir si

les zapatistes sont ou non « marxistes », quand eux-
mêmes ne cessent de répéter qu'ils ne savent pas s'ils
sont marxistes, léninistes, guévaristes, trotskistes,
maoïstes ou quelque autre -*iste* que ce soit. Contre cette
logique de catalogage, le zapatisme, qui affirme ne pas
exister et être à la fois à tout le monde et à personne,
revendique le droit à l'*indéfinition.* Ce refus des éti-
quettes a sa vertu et sa cohérence, dès lors qu'il s'agit
de promouvoir la tolérance et l'inclusion. Surtout, dans
un moment historique de fragile redémarrage après le
calme plat, de timide reconstruction après le désastre,
prétendre détenir une claire définition des principes et
des méthodes risquerait de n'être qu'une illusion sus-
pecte, voire l'indice d'un dangereux appétit de pouvoir.
L'indéfinition est la vertu d'un mouvement qui veut
être un processus permanent d'autotransformation ; et
elle est sans doute inévitable, s'agissant d'un moment
historique où quelque chose de neuf commence à peine
à prendre forme. On aimerait donc pouvoir écrire du
zapatisme ce que K. Korsch disait en analysant les
mérites de l'expérience révolutionnaire des conseils
dans l'Europe des années 1917-1923 : « Seuls les phi-
listins amers pourraient se récrier contre l'indéfinition
qui, inévitablement, affectait cette idée, de même que
n'importe quelle idée non pleinement réalisée. »
    Pourtant, il faut aussi reconnaître que l'indéfinition a
ses limites. Face au risque, souligné par Y. Le Bot, de
se transformer en « auberge espagnole », Marcos reconnaît que « cette indéfinition ne peut pas se maintenir
longtemps ». Même l'image de l'Ezln comme miroir,
dans lequel chacun croit reconnaître ce qu'il voudrait
être, doit être brisée : « Le moment doit arriver où, tout

en ouvrant un monde pluriel, incluant et tolérant, l'Ezln devra acquérir un visage propre.» Et s'agissant du passage de la lutte armée à la lutte civile, maintenir un pied de chaque côté apparaît à la longue comme une indécision intenable : «L'Ezln va devoir choisir : passer dans l'une ou l'autre des deux barques ou tomber à l'eau et se retrouver sans aucune des deux.» La relation au marxisme pourrait bien être un autre aspect à propos duquel l'indéfinition touche à ses limites : l'oubli ou l'occultation conduit à retomber accidentellement dans les eaux troubles du dogmatisme, tandis que le visage propre du zapatisme ne pourra se construire que sur la base d'un travail explicite permettant une réappropriation critique, sélective et réfléchie du marxisme.

Au total, le zapatisme apparaît comme une critique en acte des expériences révolutionnaires du XXe siècle, en particulier de l'héritage léniniste et guévariste. C'est là un de ses apports les plus importants. Mais cette critique demeure en partie inaboutie, notamment parce qu'elle n'affronte pas la question de son rapport au marxisme en général, se contentant le plus souvent de l'occulter, quand il s'agirait d'en produire le dépassement critique. Cela est d'autant plus regrettable que semble exister, dans le zapatisme, l'expérience concrète susceptible de permettre un tel dépassement et une intégration de l'apport historique du marxisme dans une perspective renouvelée et amplifiée. En ce sens, on se risquera à suggérer une improbable mais frappante correspondance en observant que le mouvement zapatiste constitue jusqu'à un certain point une réalisation pratique des thèses de K. Korsch sur le marxisme : «Il est impossible de restaurer la doctrine marxiste comme un tout, dans sa fonction originelle de théorie de la révolution sociale (...). Le marxisme ne peut plus prétendre au monopole de l'initiative révolutionnaire et de sa direction théorique et pratique (...). Il doit être inclus parmi tous les éléments du mouvement ouvrier au même titre que ses grands rivaux (...). Il faut critiquer sa surestimation de l'État comme instrument déterminant de la révolution sociale.»

S'agissant de cette dernière thèse, on a vu déjà combien elle était explicitement assumée par l'Ezln. Et que le marxisme doive renoncer à tout monopole sur le mouvement social, n'est-ce pas ce qu'ont vécu les premiers zapatistes confrontés à la réalité indigène, et n'est-ce pas ce qu'admet Marcos lorsqu'il qualifie cette rencontre de «défaite» pour des militants formés à l'orthodoxie marxiste? Qu'il faille envisager un dépassement des oppositions héritées de l'histoire du mouvement révolutionnaire et social, n'est-ce pas ce que le mouvement zapatiste invite à prolonger, lui qui a su attirer aussi bien des sociaux-démocrates et des révolutionnaires orthodoxes, des militants indigènes et des léninistes, des guévaristes et des féministes, des trotskistes et des libertaires? Que le marxisme ne puisse être restauré comme un tout faisant office de vérité totale et absolue, n'est-ce pas ce que les zapatistes ont commencé à admettre en abandonnant des notions aussi centrales que celle de dictature du prolétariat? Pourtant, il faudrait encore, pour accomplir entièrement une telle tâche, cesser de n'évoquer le marxisme que comme une lointaine racine et se préoccuper de son statut *présent*, non seulement pour pousser jusqu'au bout la critique de tous les aspects qui, y compris chez Marx, ont pu favoriser les dérives dogmatiques et les trahisons accomplies en son nom, mais aussi pour en revendiquer la part toujours féconde (les instruments d'une compréhension critique de la marchandisation capitaliste du monde et l'espérance raisonnée de son abolition). C'est seulement ainsi que les efforts contenus dans le mouvement zapatiste pourraient aboutir à une réappropriation critique et à un dépassement assumé du marxisme, ce qui semble une tâche décisive pour contribuer au renouveau des mouvements révolutionnaires du XXIᵉ siècle.

II

La lutte pour l'humanité
et contre le néolibéralisme

> « La bourgeoisie a réduit la dignité per-
> sonnelle à une simple valeur d'échange
> (...) pour ne laisser subsister d'autres
> liens entre les hommes que l'intérêt nu
> et le froid paiement comptant. »
>
> F. Engels-K. Marx,
> *Manifeste du Parti communiste.*

Les zapatistes ont placé au centre de leur action « la
lutte pour l'humanité et contre le néolibéralisme », et
c'est au nom de celle-ci qu'ils ont lancé les convoca-
tions à plusieurs rencontres continentales et intercontinentales, dont la principale s'est tenue au Chiapas en
juillet-août 1996. Plus qu'un slogan, cette formule est la
définition concise et articulée des perspectives d'un
combat. La relation entre les deux éléments qui la composent en est l'aspect déterminant. Car revendiquer la
lutte pour l'humanité n'a de sens que si l'on nomme en
même temps l'adversaire qui fait obstacle à cette lutte
et la rend nécessaire. Faute de quoi on ne saurait sau-
ver les mots « humain » ou « humanité » d'un usage

purement rhétorique, d'un humanisme bon teint qui, ne faisant de tort à personne, est complice de toutes les oppressions et se réduit à l'éthique molle des droits de l'homme, devenue trop souvent aujourd'hui l'adjuvant du triomphe de la démocratie de marché. Les zapatistes, eux, donne sens à ce combat pour l'humanité, en assumant une critique du capitalisme néolibéral, identifié comme ennemi irréductible (le nommer est le premier pas de la critique, puisque selon le discours dominant « le néolibéralisme n'existe pas, c'est une invention de la gauche usée qui trouve dans cette dénomination un substitut commode à ses vieux concepts », mai 1996). Il est donc clair que toute proclamation humaniste séparée d'une critique radicale du monde présent n'est qu'une mystification, du reste si peu crédible qu'elle n'a plus guère cours que sous l'espèce de l'humanitarisme, qui en est la petite monnaie fort dévaluée.

À l'inverse, il serait risqué d'appeler à la lutte contre la globalisation néolibérale sans préciser au nom de qui et de quelles valeurs celle-ci doit être menée. Car, comme le souligne Marcos, le monde bruisse des gestes et du verbe de « mouvements fondamentalistes religieux » ou « ultranationalistes à outrance » qui prétendent également se dresser contre la mondialisation (DR). Il existe en effet un courant de résistance à la globalisation qui se caractérise par un repli identitaire fondé sur des valeurs religieuses, ethniques ou nationalistes, et qui entend construire « un monde composé de petites îles ». Il s'agit, poursuit le sous-commandant, de « fanatiques [qui] affirment : ici, dans ce petit îlot de l'archipel mondial, ne peuvent vivre que ceux qui sont comme moi ». « Manifestation d'intolérance, d'obscurantisme et de sectarisme », cette réaction à la globalisation aboutit à une affirmation excluante des identités, au rejet de toute différence, aux fermetures xénophobes et aux affrontements ethniques. C'est pourquoi, afin d'éviter toute confusion avec une telle attitude, il est indispensable de souligner que le combat contre le néolibéralisme, tel que les zapatistes l'entendent, est indissociablement une lutte pour l'humanité, c'est-à-dire une lutte menée au nom d'une humanité concrète, s'assumant dans sa diversité et reconnaissant les différences qui la constituent comme bases effectives de son unité. Il est donc tout aussi vain de prôner une lutte pour l'humanité en oubliant de dénoncer son adversaire néolibéral qu'il est dangereux de s'en prendre au néolibéralisme sans affirmer en même temps que la lutte menée contre lui a pour idéal une humanité soucieuse de bâtir son unité égalitaire sans nier sa pluralité.

La critique du néolibéralisme

Il ne fait aucun doute, comme l'ont souligné les contributions à la Rencontre intercontinentale de 1996, que la critique du néolibéralisme se confond avec celle du capitalisme : le néolibéralisme n'est rien d'autre que la forme actuelle du capitalisme. À dire vrai, cette thématique n'a pas tenu d'emblée la vedette dans les textes zapatistes. Certes, le 10 avril 1994 marque la première apparition de Don Durito de la Lacandona, le scarabée qui deviendra le fidèle compagnon de Marcos et qui, déjà, affirme « étudier le néolibéralisme et sa stratégie de domination en Amérique latine». Mais ce n'est qu'un an plus tard que débute véritablement le cycle de Durito, qui accable alors le «Sup» de ses pénibles «cours d'économie politique», se lançant à l'assaut du néolibéralisme comme Don Quichotte contre les moulins, et assenant périodiquement ses sentences, telles que : le néolibéralisme «n'est pas une doctrine économique pour affronter ou expliquer la crise, [il] est la crise même faite théorie et doctrine économique» (11 mars 1995). Tout au long de l'année 1994, le mot néolibéralisme est à peine prononcé et demeure notamment absent des deux premières Déclarations de la Selva Lacandona, comme du discours devant la CND. C'est seulement à partir de l'année suivante que le thème acquiert de l'importance et, le 1er janvier 1995, la troisième Déclaration de la Selva Lacandona invite à jeter le néolibéralisme «dans les poubelles de l'histoire nationale». Les mentions se multiplient alors, dénonçant le néolibéralisme comme une «plaie qui affecte toute l'humanité» et qui n'est rien d'autre que «le capitalisme sauvage mondial de la fin du xxe siècle» (mai 1995). Puis, au cours de l'année 1996, la lutte contre le néolibéralisme passe au premier plan du discours zapatiste, à travers le processus qui mène de la première Déclaration de La Realidad convoquant à une Rencontre intercontinentale pour l'humanité et contre le néolibéralisme (30 janvier), jusqu'à la réalisation de celle-ci (juillet-août). Les *Chroniques intergalactiques*, qui synthétisent les contributions à cette rencontre, sont l'un des principaux apports zapatistes à cette réflexion, avec le texte de Marcos intitulé *Sept Pièces éparses du casse-tête mondial* et publié initialement en français sous le titre *La quatrième guerre mondiale a commencé*, en août 1997.

Cet article, écrit pour *Le Monde diplomatique*, cite abondamment ce journal et se fonde en grande partie sur les informations fournies par lui : Marcos, à la fois auteur et lecteur du « Diplo »... Ainsi en va-t-il de la plupart des éléments de l'analyse économique et sociale : mondialisation appuyée sur la révolution des techniques de communication, libéralisation des flux financiers et commerciaux, rôle dominant et dictatorial des marchés financiers (« la mondialisation n'est rien d'autre que la mondialisation des logiques des marchés financiers »), importance croissante des grands groupes transnationaux, pouvoir exorbitant des institutions internationales (FMI, BM et OMC), perte de souveraineté des États prisonniers du pouvoir financier, privatisations et démantèlement des services sociaux, accentuation des inégalités sociales tant entre les nations qu'au sein de chaque pays, baisse des salaires réels, explosion du nombre de personnes en situation de pauvreté, surexploitation de la main-d'œuvre, y compris infantile, dans les pays en développement, augmentation du chômage, du travail précaire et de la marginalité dans les pays dits riches, multiplication (par dix) des populations déplacées et réfugiées ainsi que des migrants illégaux, intégration structurelle du crime organisé et du narcotrafic (20 % du commerce mondial) au fonctionnement du système financier globalisé. On n'insistera guère sur ces aspects, et on s'efforcera de faire valoir les traits plus singuliers de la critique zapatiste du néolibéralisme.

Le point le plus suggestif est sans doute la caractérisation du néolibéralisme comme quatrième guerre mondiale, là où la coutume historiographique n'en enregistre que deux. Pourtant, la guerre froide peut être assimilée sans trop de difficulté – son nom même y invite – à une troisième guerre mondiale. Certes, les deux superpuissances du monde bipolaire ne se sont jamais affrontées directement, mais Marcos n'a guère de mal à rappeler que, durant cette période, 149 guerres ont été livrées, laissant un solde de 23 millions de morts (deux fois plus que la Première Guerre mondiale). Puis, dans la phase suivante – et là, le sous-commandant se risque davantage –, l'effondrement de l'URSS et la nouvelle organisation unipolaire du monde ne supposent nullement le retour à la paix et à l'ordre, mais au contraire l'extension du chaos néolibéral et le déclenchement d'une « quatrième guerre mondiale » (présent dès la première Déclaration de La Realidad, en janvier 1996, ce thème est développé durant la Rencontre intercontinentale et trouve finalement son expression articulée dans l'article de l'été 1997). Il s'agit d'une « nouvelle guerre de conquête de territoires » « pour un nouveau partage du monde » visant à prendre possession des marchés, des richesses et de la force de travail laissés sans maître par l'effondrement du bloc soviétique. Pourtant, l'idée d'une compétition au sein du camp des vainqueurs capitalistes pour occuper le rôle de maître du monde est peu convaincante, et il est douteux que les rivalités au sein de la triade (USA-Europe-Japon) pour contrôler les marchés laissés vacants par le bloc soviétique constituent un des facteurs principaux de l'instabilité actuelle du monde. Que penser alors de l'invention historiographique du sous-commandant ?

Simple métaphore ou exagération rhétorique des méfaits du néolibéralisme ? Déformation professionnelle d'un guérillero formé à l'art de la guerre (et citant justement Sun Tzu en épigraphe de son article) ? Ou plaisir jubilatoire de l'inversion (la *pax americana* devenue guerre mondiale et le « nouvel ordre mondial » retourné en chaos) ?

Il faut être ici plus attentif à l'argumentation de Marcos. En premier lieu, la « quatrième guerre mondiale » a pour cible principale l'État et le marché national qui lui a longtemps servi de base. Ce sont les premières victimes du néolibéralisme, « liquidées par les tirs de canon de la nouvelle ère de l'économie financière globale ». C'est une guerre monstrueuse dans laquelle « le fils (le néolibéralisme) dévore le père (le capitalisme national) ». Dans cette guerre du chaos, « entreprises et États s'effondrent en quelques minutes, non pas à cause des tourmentes des révolutions prolétariennes, mais sous les assauts des ouragans financiers ». L'arme par excellence de cette guerre, ce sont les « bombes financières », bien plus « rationnelles » que les bombes atomiques ou même que les bombes à neutrons, car elles ne détruisent ni les édifices ni les populations, mais livrent intacts marchés et force de travail à leurs nouveaux patrons. Certes, les États nationaux ne disparaissent pas totalement, mais ils sont forcés de s'intégrer dans des zones de libre-échange (ALENA, UE, Mexique-UE, TLCA) qui ne font que favoriser davantage le primat de l'économie sur la politique : « Désormais, la politique n'est qu'une organisation économique et les hommes politiques sont de modernes gestionnaires d'entreprises... Les nations sont des

magasins locaux avec des gérants en guise de gouvernements, et les nouvelles alliances régionales, économiques et politiques, ressemblent davantage au modèle
d'un moderne *mall* commercial qu'à une fédération
politique. L'"unification" que produit le néolibéralisme
est économique, c'est l'unification des marchés pour
faciliter la circulation de l'argent et des marchandises.
Dans le gigantesque hypermarché mondial, les marchandises circulent librement, mais non les personnes.»

Pourtant, les États conservent une attribution importante, et les gouvernants ne se convertissent pas seulement en gérants d'entreprises, mais aussi « en sous-officiers militaires de la nouvelle guerre mondiale» (les
armées nationales se transformant en «simples unités
d'une armée globale»). «Dans le cabaret de la globalisation, nous assistons au show de l'État sur une *table
dance* ; il se dépouille de tout, ne gardant que le strict
minimum : la force répressive», et «les États nationaux
se convertissent, plus ou moins vite, en de simples instruments de sécurité des méga-entreprises». Car le
néolibéralisme a besoin pour prospérer de renforcer la
menace policière et militaire et de se prémunir contre
les possibles agresseurs de la démocratie de marché.
L'État national ne disparaît donc pas, puisque ses
tâches répressives demeurent indispensables ; ce qui
prend fin, c'est sa fonction proprement politique. La
quatrième guerre mondiale détruit les États nationaux,
non pas en les faisant disparaître formellement, mais
en annulant leur souveraineté. Une telle destruction de
ce qui faisait l'essence des États ne fait-elle pas mériter au néolibéralisme le nom de guerre mondiale ?

Cependant les États nationaux ne sont pas les seules cibles de l'offensive néolibérale. Il s'agit aussi «d'une destruction historique et culturelle» qui s'efforce d'effacer tous les obstacles à la conquête du monde par l'«american way of life» («toutes les cultures et les histoires qui ont forgé les nations sont attaquées par le mode de vie nord-américain»). C'est, en ce sens aussi, une guerre «totalement totale», qui détruit tout pour homologuer la planète au modèle américain. C'est en cela que cette guerre peut être considérée comme «la plus complète, la plus universelle» de toutes les guerres mondiales : parce qu'elle s'attaque à toutes les nations et s'en prend à toutes les cultures et à tous les peuples (les populations indigènes du monde, soit 300 millions de personnes environ, comptant parmi les premiers obstacles à éliminer). Finalement, la quatrième guerre mondiale est une guerre que le néolibéralisme mène contre l'humanité : «d'un côté, il y a le néolibéralisme, de l'autre, il y a l'être humain» (et c'est pourquoi le zapatisme, ayant clairement choisi son camp, appelle à un combat pour l'humanité et contre le néolibéralisme). On comprend alors la caractérisation du néolibéralisme comme «quatrième guerre mondiale», car même si l'anéantissement militaire n'est pas son arme principale (en ce sens, on peut dire, si l'on veut, qu'il s'agit d'une métaphore), le résultat est comparable à celui d'une guerre : la destruction substantielle des États et des peuples dans une guerre totale, la première qui agresse dans un même mouvement l'humanité tout entière.

On pourra ou non accepter l'expression de guerre mondiale, selon que l'on sera davantage sensible aux excès de la formule ou aux traits pertinents qu'elle met en relief. Mais l'essentiel tient plutôt au fait de souligner que le néolibéralisme constitue un phénomène total, un concept permettant de comprendre le monde actuel de manière globale et de rassembler de manière cohérente ses aspects les plus divers. Le néolibéralisme ne concerne pas seulement l'économie et ne s'attaque pas seulement à la structure sociale et à l'organisation politique du monde ; il consiste fondamentalement en une offensive de « la logique du marché, qui... pénètre et *s'approprie tous les aspects de l'activité sociale*» (idée reformulée dans le texte d'avril 2000, *Oxímoron*, qui dénonce « le marché comme figure hégémonique qui pénètre tous les aspects de la vie »). Certaines conséquences essentielles de ce processus, en termes de temps (le règne du présent perpétuel) et d'espace (la combinaison de fragmentations locales et d'uniformisation mondiale, d'exaltation des particularismes et de destruction systématique des lieux), seront analysées aux chapitres suivants. Mais le point fondamental peut être d'emblée souligné : la mondialisation est l'extension totalitaire de la logique du marché *à tous les aspects de la vie*.

Certes, depuis ses origines, le capitalisme a eu pour principe d'étendre la sphère de la marchandise, puisqu'elle est celle qui permet le profit. Mais la nouveauté est qu'aujourd'hui cette extension met en péril tous les bastions qui semblaient devoir lui résister et pénètre perversement au plus intime des esprits et des corps. Selon la logique même du capitalisme, désormais poussée jusqu'à ses plus extrêmes conséquences et ne tolérant plus guère de reste (c'est la différence avec le capi-

talisme des phases antérieures, qui admettait des zones
réservées et des secteurs protégés), tout doit devenir
marchandise ; tout peut s'acheter et se vendre, y compris l'éducation et l'eau des rivières, et jusqu'aux
embryons des top models supposés garantir le rêve
d'un enfant parfait, c'est-à-dire beau et riche (*sic*).
Toute réalité se mesure alors à l'aune de sa valeur
d'échange, et cette attitude s'inscrit au plus profond des
êtres humains, dressés pour calculer le juste prix de
chaque chose (comme l'inculquent des jeux télévisés
mondialement répétés), pour se prosterner devant les
marchandises dans lesquelles tous leurs désirs sont
invités à se concentrer (comme l'enseigne l'envahis-
sant symbolisme publicitaire), pour soumettre leurs
vies aux critères de la réussite économique (chacun
valant socialement ce que vaut son compte en banque,
au point que les assurances des compagnies aériennes
ne dédommagent pas de la même manière, en cas d'ac-
cident, la famille d'un homme d'affaires et celle d'un
chômeur). Les « eaux glacées du calcul égoïste » sub-
mergent le monde : tout se compte et ce qui n'a pas de
prix ne compte pas. Des exemples surabondants montrent que la logique du profit et de la rentabilité prime
sur la sauvegarde de la planète et de la vie humaine,
tandis que l'essor des biotechnologies annonce, pour le
siècle qui commence, la conquête par la marchandise
de la vie même, dans son sens proprement biologique :
le corps, jusque dans ses composantes génétiques,
devenu objet de négoce, devra se plier à la logique du
profit et se modifiera à son gré. Ainsi, ce qui est au fond
du néolibéralisme, c'est une avancée sans précédent de
la marchandisation du monde, dans tous ses aspects,

partout et sans restriction. Le devenir-monde de la marchandise est désormais le devenir-marchandise du monde. Et il s'en faut de peu pour que le devenir inhumain de la marchandise soit l'inhumain devenir-marchandise de l'homme lui-même.

Une fois le néolibéralisme reconnu comme adversaire fondamental, la lutte contre celui-ci est nécessairement un axe central de la mobilisation zapatiste. Marcos l'indique aux participants de la Rencontre américaine : «nous savons ce qui nous rend égaux : un ennemi, le néolibéralisme, et une cause, celle de l'humanité» (7 avril 1996). Les *Chroniques intergalactiques* soulignent que «au-delà de la diversité des formes nationales qu'il peut adopter, le néolibéralisme constitue une offensive globale contre la vie et contre l'humain»; il est «un pouvoir global que nous subissons tous», de sorte que «l'universalité de la stratégie néolibérale doit entraîner une universalité de la résistance : nous sommes tous confrontés au même ennemi». Dès la Rencontre de juillet 1996, un ensemble de propositions d'actions manifeste clairement la nécessité d'une lutte internationale contre un adversaire globalisé : campagnes contre le FMI et la BM (cinquante ans, ça suffit!), pour l'élimination de la dette du tiers-monde et pour la disparition de l'OMC, défense de prix justes pour les matières premières et développement du commerce équitable, taxes sur les profits spéculatifs, lutte contre les privatisations et pour la défense des services publics, sans compter les revendications plus classiques pour la réduction du temps de travail, les garanties salariales et les droits sociaux, qui heurtent également la logique néolibérale. Mais la proposition la plus remarquable fut sans doute l'appel à créer « un réseau intercontinental de résistance pour l'humanité et contre le néolibéralisme » (seconde Déclaration de La Realidad, 3 août 1996).

Un tel recours à l'idée de réseau doit certes travailler à se différencier de la pacotille horizontaliste et pseudo-libertaire que le capitalisme de l'information s'efforce de nous vendre sous cette étiquette, ce qui suppose en premier lieu d'indiquer clairement qu'un réseau de résistance ne saurait se réduire à Internet, même s'il utilise ce moyen pour partager l'information. Dans la proposition zapatiste, l'idée de réseau signifie d'abord le refus de constituer une structure organisatrice centralisée, unifiée et stable (le refus d'un « nouveau numéro dans l'inutile numération des nombreuses internationales »), pour privilégier la recherche d'un « écho qui se convertisse en de nombreuses voix, en un réseau de voix, qui opte pour se dire lui-même, se sachant un et multiple, se connaissant identique dans son aspiration à écouter et à se faire écouter, se reconnaissant différent dans les tonalités et les forces des voix qui le forment » (3 août 1996). Dépourvu de direction centrale, le réseau se définit comme un moyen de mettre en résonance, afin qu'elles s'appuient mutuellement et se renforcent les unes les autres, toutes les luttes de résistance qui, à travers le monde, s'affrontent au même ennemi, mais sans pour autant imposer qu'elles adoptent la même forme ni qu'elles se fondent dans le moule d'une organisation unique.

Comme on le dira au chapitre IV, cette proposition est demeurée une promesse non tenue, à laquelle le zapatisme international n'a pas pu ou su donner corps.

Pourtant, la propagation des manifestations contre les institutions financières et commerciales internationales, à commencer par celles de Seattle, à la fin de 1999, ou de Prague, presque un an plus tard, ainsi que la multiplication des rencontres internationales contre le néolibéralisme (par exemple à Quito en décembre 1999, ou encore le Forum social mondial de Porto Alegre en janvier 2001), montrent que nombre d'organisations et d'individus se sont emparés à leur manière de cette idée. L'Ezln n'a certes pas eu l'initiative de ces mobilisations, même si les préceptes zapatistes figuraient en bonne place dans les rues de Prague et même si les textes zapatistes sont lus et commentés au sein de nombreuses organisations sociales d'Amérique latine. Pour l'ensemble de ces luttes, l'expérience zapatiste constitue une référence possible, parmi d'autres (aspect que Marcos invite à considérer avec prudence, en indiquant que « le zapatisme, plus qu'un exemple à suivre, est un symptôme », DR). Et s'il importe peu de déterminer quelle a été exactement son influence, du moins peut-on la compter parmi les prémices d'une mobilisation internationale qui ne fait que commencer, elle qui a su construire une efficace résistance, montrant que l'humanité en lutte peut rompre la torpeur de la passivité et du conformisme, pour se remettre en chemin.

La lutte pour l'humanité

Au nom de qui cette lutte est-elle livrée ? À qui doit-elle profiter ? Qui est appelé à la lutte contre le néolibéralisme ? Les indigènes ? Les ouvriers et paysans ? Le peuple ? Le prolétariat ? Selon les différentes phases du mouvement, les zapatistes ne se sont pas toujours adressés aux mêmes groupes, ni toujours avec les mêmes mots. Conformément à la stratégie du soulèvement du 1er janvier, la première Déclaration de la Selva s'adressait au « peuple mexicain », tandis que *El Despertador* qui la diffusait précisait son adresse aux « Mexicains : ouvriers, paysans, étudiants, professionnels honnêtes… » et annonçait « une guerre pour tous les pauvres, exploités et misérables ». Par la suite, l'appel zapatiste s'étend à des catégories plus diverses, englobées sous le terme de « société civile », tandis que croît, à mesure que la thématique antinéolibérale se fortifie, l'idée d'une lutte engageant l'humanité tout entière. On reviendra dans un chapitre ultérieur sur la dimension indigène du soulèvement et sur l'appel au peuple mexicain, et on analysera seulement ici cette revendication d'une lutte pour l'humanité, tant elle est indissociable de la critique du néolibéralisme.

Le mot « prolétariat » fait partie de ce vocabulaire qui, pour avoir formé le b.a.-ba de militants éduqués à l'école du marxisme, n'apparaît cependant à peu près jamais dans les textes zapatistes. Au-delà de ce constat sémantique, on ne peut manquer de remarquer un évident effacement de la perspective strictement classiste de la vulgate marxiste, au profit d'une vision plus souple dont la logique reste à définir. Mais s'agit-il d'une simple tactique de communication esquivant un vocabulaire trop connoté qui risque de rappeler des dogmes rétrogrades et qui préfère un langage indolore, davantage en phase avec l'air du temps ? D'une capitulation théorique qui, aux aspérités tranchantes de la lutte de classes, préfère le confort douillet d'un humanisme de bon aloi ou, pis encore, les fadaises humanitaristes tant prisées par le grand théâtre du monde médiatisé ? Ou bien, devons-nous chercher à frayer dans la logique zapatiste (comme à travers une forêt) le chemin d'un dépassement raisonné de l'orthodoxie marxiste, une piste pour adapter le discours et la pratique révolutionnaires aux réalités nouvelles du capitalisme néolibéral ?

Une question si difficile soulève de nombreux problèmes théoriques qu'il serait bien téméraire de prétendre résoudre. On se contentera donc de quelques remarques, centrées sur une interrogation à laquelle on doute de pouvoir donner une réponse satisfaisante : quelles sont aujourd'hui les forces sociales susceptibles de lutter contre le néolibéralisme et plus précisément de contribuer à un éventuel dépassement de l'organisation capitaliste du monde ? La question se pose avec acuité, car l'expérience historique suggère implacablement que Marx – tout en produisant l'analyse critique la plus accomplie du capitalisme et en esquissant, sur la base de cette analyse, l'utopie raisonnée d'une société sans classe et sans État – a, pour sa réalisation, attribué au prolétariat un rôle démesuré que celui-ci n'a pas été en mesure de tenir. C'est lui qui devait libérer le monde de la barbarie capitaliste et ouvrir le chemin de l'idéal communiste ; c'est à lui, comme classe, que revenait la tâche historique de mettre fin à la division de la société en classes. Force est de constater qu'en cette matière, le prolétariat n'a pas été au rendez-vous de l'histoire. Et maintenant que la prophétie ne s'est pas réalisée, il est facile de critiquer la foi et l'idéalisation excessive dont Marx a fait preuve en prêtant au prolétariat des vertus messianiques, sans doute nécessaires pour conjoindre son œuvre critique et son projet révolutionnaire, mais néanmoins illusoires.

Et si la révolution prolétarienne n'a fait qu'échouer au cours des deux siècles passés, à qui s'en remettre aujourd'hui ? Tout dépend bien entendu de la définition que l'on donne du prolétariat : s'agit-il de tous les producteurs dépossédés des moyens de production et par conséquent contraints de vendre leur force de travail ? Faut-il circonscrire cette définition à la classe ouvrière, la réserver à « ceux qui n'ont rien d'autre à perdre que leurs chaînes » ? Ou au contraire l'étendre à la (presque) totalité des salariés, bien qu'une partie d'entre eux, sans posséder aucun moyen de production, ait acquis un confort de vie suffisant pour croire qu'elle a tout à gagner à garder ses chaînes ? Voire englober dans le prolétariat tous les travailleurs qui, victimes de l'inhumanité de la marchandise, se voient privés d'une existence authentique et perdent tout pouvoir sur l'emploi de leur vie, ce qui tend à poser une quasi-égalité entre prolétariat et humanité ?

Du fait des transformations accélérées des sociétés modernes, la classe ouvrière n'est plus aujourd'hui au cœur du développement capitaliste, et même les masses paysannes, au centre de toutes les révolutions du XXe siècle, ont cessé de constituer la majorité de la population mondiale. Les formes les plus avancées du travail industriel ne sont plus celles du capitalisme sauvage du XIXe siècle, ni même celles de la rationalisation fordiste, ce qui ne veut pas dire que l'industrie soit devenue, grâce à l'automatisation et aux vertus de la

culture d'entreprise, un univers aseptisé et consensuel
d'où l'exploitation aurait miraculeusement disparu :
bien au contraire ! Et, même s'il conviendrait d'insister
sur les nouvelles formes d'exploitation liées à l'essor
du travail précarisé, il est certain que la culture
ouvrière et le sentiment d'appartenance à une classe
particulière se sont presque totalement dissous (recul
des structures syndicales et politiques, espérance d'une
promotion sociale, rupture entre les générations accentuée par l'éducation). Certes, ces remarques valent surtout pour les pays développés, où la visibilité du « prolétariat » se brouille, tandis qu'au niveau mondial le
nombre de travailleurs salariés n'a jamais été aussi
élevé (près de 2 milliards), et que dans les pays en
développement les vieux modèles du XIXᵉ siècle semblent se reproduire sans scrupule. Des *maquiladoras*
mexicaines aux usines-prisons du Sud-Est asiatique
règne partout la surexploitation des travailleurs des
services comme de l'industrie, soumis à des journées
de travail interminables dans des conditions insuppor-
tables, sans parler du travail des enfants, de l'absence
de protection sociale et de droits syndicaux, voire de
formes de soumission au travail par laquelle la
« modernité » semble rejoindre les anciennes traditions
esclavagistes. Si l'on croit volontiers en Occident que le
terme « prolétariat » renvoie à des réalités périmées,
c'est sans doute tout simplement parce que les pays dits
riches savent désormais faire travailler l'essentiel de
leurs prolétaires loin de chez eux et loin de leurs yeux.
    Certes, les sociétés modernes, dominées par les acti-
vités de services et l'essor des techniques de communication, se font plus complexes et irréductibles à l'op-

position duelle entre le prolétariat et la bourgeoisie. Le choc des différences sociales y semble atténué par l'essor des classes moyennes (qui préoccupait déjà Marx), dont les membres, sans exploiter le travail d'autrui, ne possèdent pas seulement la force de leurs bras, mais disposent d'une formation, de revenus confortables et d'un style de vie aisé, et se partagent entre ceux qui s'identifient au *statu quo* et ceux qui utilisent leurs capacités culturelles pour en faire la critique. Pour autant, on ne tombera pas dans le piège du discours dominant, qui voudrait nous faire croire que les vertus du capitalisme auraient engendré une société homogène, dans laquelle les différences sociales auraient disparu au profit d'une immense et omniprésente « classe moyenne » (avec certes quelques élus méritants et très riches d'un côté, et, lamentablement, quelques malheureux abandonnés par la chance, de l'autre). Le boniment pouvait encore trouver quelque apparence de crédibilité dans la phase d'expansion des « trente glorieuses » de l'après-guerre, quand fonctionnait un capitalisme d'inspiration keynésienne qui avait compris la nécessité de transformer les prolétaires en consommateurs, et donc de redistribuer du pouvoir d'achat (avec en prime l'espérance d'une relative promotion sociale, bien faite pour canaliser les revendications). En revanche, la belle fable se transforme en mystification grotesque sous le règne du néolibéralisme, même si elle continue à faire désespérément recette auprès de ceux qui ont tout intérêt à y croire.

On voit mal en effet comment le mythe de la disparition des différences sociales (ou même de leur atténuation) pourrait désormais résister à la moindre information sérieuse : aujourd'hui, les inégalités sociales se renforcent partout, dans les pays riches comme dans les pays pauvres, ainsi qu'entre les premiers et les seconds. La part de richesse qui revient à la frange supérieure de la population ne fait qu'augmenter (hausse des revenus de 20 % pour les 10 % les plus riches aux États-Unis), tandis que celle qui revient à la frange défavorisée ne fait que décliner (baisse de 20 % pour les 10 % les plus pauvres) : en clair, le néolibéralisme signifie un transfert de richesse des pauvres vers les riches. Et si, dans la balance folle des inégalités néolibérales, 24 personnes pèsent autant, par leur fortune, que 38 millions de leurs compatriotes (au Mexique), tandis que 358 super-milliardaires font bonne mesure face à 3 milliards d'anonymes (dans le monde), qui osera dire qu'il n'existe plus que des inégalités sociales résiduelles ? On ne saurait avoir de doute : l'humanité à laquelle les textes zapatistes en appellent n'est en aucune manière une entité réconciliée, ni une réalité uniforme, débarrassée des différences sociales.

Pour autant, la notion de classe n'est pas sans inconvénient. D'abord, on ne sait jamais clairement si l'on désigne par ce terme la classe au sens économique (position dans les rapports de production), au sens social (modes de vie, habitudes culturelles, tendances idéologiques, etc.) ou politique (la classe consciente d'elle-même, organisée et luttant pour ses intérêts). Mais surtout, il faut renoncer à concevoir une classe sociale comme une entité formée une fois pour toutes, unifiée et homogène, séparée des autres par une barrière quasi infranchissable et constituée d'unités individuelles réputés identiques les unes aux autres (déjà

Marx se gaussait de « l'affirmation qui fait du bourgeois un exemplaire de la bourgeoisie »). Il faudrait plutôt admettre que la réalité sociale est formée d'un *continuum* de situations et de positions qui rend vaine toute tentative pour établir une délimitation stricte de chaque classe. Car les relations qui structurent l'espace social sont plus importantes que les classes qu'on peut éventuellement y découper artificiellement, ou dont on peut momentanément observer l'action concrète. Cet espace social relationnel est tissé de différences et animé de conflits qui ne sont pas tous réductibles à la lutte de classes. On ne saurait donc réduire ce champ relationnel complexe à l'opposition prolétariat/bourgeoisie sans tomber dans un simplisme aveuglant. Mais on ne saurait non plus nier, sous peine de contribuer aux trompe-l'œil de la mystification ambiante, qu'en dépit d'une complexité irréductible à cette dualité, l'espace social est fortement structuré par la polarité du capital et du travail, ce qui veut dire tout à la fois qu'il existe une infinité de situations et de gradations intermédiaires et que les autres relations sociales s'articulent à celle-ci de manière plus ou moins indirecte, plus ou moins autonome. En bref, il est infiniment plus important de reconnaître que cet antagonisme fondamental traverse et anime tout l'espace social et même l'ensemble des activités humaines, que de déterminer l'appartenance des individus à telle ou telle classe.

Mais alors, si l'on ne peut parier ni sur le prolétariat, dans son acception classique, ni sur l'humanité, au sens d'une entité homogène, la question initiale reste entière : quelles forces sociales convoquer à l'assaut du néolibéralisme ? Faut-il alors attribuer un rôle déterminant à de «nouveaux acteurs sociaux», tels que les indigènes, les femmes ou les militants écologistes? Autant de luttes considérées par le marxisme orthodoxe comme sectorielles, et s'opposant par conséquent à la seule lutte valable, celle des classes. Il est clair que le zapatisme se sépare de cette vision, en appelle aux luttes des minorités, notamment ethniques, comme au combat des femmes, et suggère que ces revendications peuvent parfaitement s'articuler à une lutte globale contre le capitalisme. Mais, comme on l'a vu, l'adresse la plus fréquente des zapatistes est lancée – d'une manière que la gauche classique dénonce comme dangereusement transclassiste – à la «société civile». Et, au sein de celle-ci, les zapatistes prêtent tout particulièrement attention aux «exclus». Les indigènes se classent eux-mêmes dans cette catégorie : ils sont les oubliés de la nation mexicaine, les plus petits, les sans-voix et les sans-visage, ceux qui ont dû masquer leur visage pour qu'on les voie, ceux qui ont dû prendre un fusil pour se faire écouter. Incontestablement, les zapatistes ont su mettre en résonance cette lutte des indigènes avec celle des «exclus» qui, ailleurs, se multiplient sous les effets du néolibéralisme : les sans-travail, les sans-logis, les sans-papiers... Le zapatisme international s'est essayé à tendre des ponts entre toutes les luttes des «sans», à faire se rejoindre les sans-voix des montagnes chiapanèques, les sans-terre du Brésil et les sans-papiers des cités d'Europe.

Le porte-parole des zapatistes a su proclamer avec éclat son identification avec toutes les luttes des exclus et des minorités, en affirmant que «Marcos est *gay* à San Francisco, noir en Afrique du Sud, asiatique en

Europe (...), anarchiste en Espagne, palestinien en
Israël, indigène dans les rues de San Cristóbal (...),
rocker à la Cité universitaire, juif en Allemagne (...),
féministe dans les partis politiques, communiste dans
la post-guerre froide (...), pacifiste en Bosnie, mapuche
dans les Andes (...), artiste sans galerie ni *press book*,
femme au foyer un samedi soir dans n'importe quel
quartier de n'importe quelle ville de n'importe quel
Mexique, guérillero dans le Mexique de la fin du
xxᵉ siècle (...), macho dans un mouvement féministe
(...), paysan sans terre, éditeur marginal, ouvrier au
chômage, médecin sans travail, étudiant non conforme,
dissident du néolibéralisme, écrivain sans livre et sans
lecteur et, c'est certain, zapatiste dans le Sud-Est mexicain» (28 mai 1994). Cette liste à l'humour talentueux
ne rend pas seulement hommage aux minorités opprimées, mais semble aussi désigner la dépossession et la
marginalité de tous ceux qui, pour être dominés ou
pour ne pas se conformer à la règle du jeu, ne sont
jamais à leur place et sentent toujours qu'on les
regarde de travers... C'est que ces dépossédés et ces
hors-jeu sont aussi ceux qui incommodent et protes-
tent, ceux qui résistent et mettent en mouvement. En
d'autres occasions, l'appel aux exclus de toutes catégories se fait plus compact, mentionnant alors « les Noirs,
les Jaunes, les Chicanos, les Latinos, les indigènes, les
femmes, les jeunes, les prisonniers, les migrants, les
foutus, les homosexuels, les lesbiennes, les marginaux,
les vieux, et particulièrement les rebelles » (6 avril
1996), et souvent ces évocations incluent aussi les
enfants (21 mars 2001), volontiers associés à une
parole zapatiste qui s'énonce « au nom des hommes et

des femmes, des vieux, des jeunes et des enfants».
Mais, au-delà du caractère hétéroclite de telles listes,
peut-être exagéré par un humour provocateur, le pari
sur les exclus (et/ou les minorités, les deux thèmes
n'allant pas toujours sans contradiction) repose sur
une analyse effective : la logique néolibérale produit
une quantité toujours croissante de populations
inutiles et marginalisées. Ici, ce sont les paysans zapatistes, rétifs aux lois du marché, qui prétendent maintenir une possession collective de la terre au mépris des
règles les plus élémentaires du capitalisme, et qu'il
convient donc de rayer de la carte des survivances
aberrantes d'un autre âge. Là, ce sont les chômeurs, les
exclus, tout le «gras» d'une population active en sur-
nombre, sacrifiée sur l'autel de la rentabilité et jetée
dans la misère des rues. Pour le néolibéralisme, il y a
toujours davantage de populations «éliminables», mais
cependant fort utiles pour entretenir la peur et la doci-
lité des salariés et conforter ainsi un rapport de forces
éminemment favorable au capital (de sorte qu'il existe
un lien structural entre exclusion et exploitation). En
bref, *il est dans la logique même du néolibéralisme d'ex-*
clure (à l'inverse du capitalisme redistributeur qui se
targuait d'intégrer).

    «Le nouveau partage du monde exclut les "minori-
tés". Indigènes, jeunes, femmes, homosexuels, lesbiennes, gens de couleur, immigrants, ouvriers, paysans ; les majorités qui forment les sous-sols du monde
se présentent, pour le pouvoir, comme des minorités
dont on peut se passer. Le nouveau partage du monde
exclut les majorités», dit encore Marcos, rassemblant
dans une même phrase des catégories dont les pro-

blèmes semblent n'avoir que peu en commun : des
minorités à la fois exploitées, opprimées et discriminées (indigènes), d'autres qui luttent contre la discrimination sans être nécessairement exploitées (homosexuels), des masses exploitées (paysans, ouvriers) et
des catégories en partie dominées mais majoritaires
(femmes). Pourtant, en dépit d'une certaine ambiguïté,
le glissement des minorités aux majorités suggère une
idée importante. L'explication passe des minorités au
sens strict aux minorités entre guillemets, c'est-à-dire
perçues du point de vue du pouvoir : tous ceux qui ne
comptent pas et qui sont pourtant des majorités, tous
ceux qui sont « minorités au moment de parler et majorité au moment de se taire et de supporter » (28 mai
1994). On retrouve ici l'idée selon laquelle le néolibéralisme est excluant par nature, de sorte que si ses victimes les plus visibles sont des minorités, ceux qu'il
rejette forment finalement des majorités. La phrase
citée témoigne ainsi moins d'un glissement dans la
pensée de Marcos que d'une étrange mathématique
propre au néolibéralisme, dans lequel le cumul des
minorités finit par former des majorités, tandis que les
majorités comptent aussi peu que les minorités (ce qui
rend légitime une perspective imbriquant les luttes des
groupes minoritaires et celles de groupes majoritaires,
c'est-à-dire finalement celles des exclus et celles des
exploités). Une telle réflexion n'a rien d'absurde, si l'on
sait que Carlos Salinas de Gortari (sous son jour le
moins cynique) affichait sans vergogne son intention
de construire un projet de nation pour 40 millions de
Mexicains (élite et classe moyenne), et par conséquent

d'abandonner 50 autres millions de concitoyens à leur triste sort.

Mais peut-on attendre le salut des exclus et des « sans », de ceux qui, à la différence des travailleurs salariés, semblent n'avoir aucun moyen de pression sur la marche de l'économie ? Comment ceux qui se définissent eux-mêmes par leur non-existence pourraient-ils avoir la force de renverser un système mondial aux allures de toute-puissance ? On remarquera d'abord que la foi en une révolution prolétarienne n'avait guère plus de fondement au regard de l'expérience des siècles antérieurs : jamais dans le passé une classe exploitée n'a renversé le cours de l'histoire en sa faveur. Certes, il n'existe pas de loi absolue en histoire, de sorte qu'il est toujours possible que ce qui ne s'est jamais produit hier advienne demain. Il n'en reste pas moins que ce constat – joint à celui du rendez-vous manqué du prolétariat avec sa mission libératrice – pourrait donner quelque crédit à l'idée selon laquelle l'abolition des classes ne peut pas être l'œuvre d'une classe particulière. Doit-on alors penser, avec A. Gorz, que cette tâche ne peut être accomplie que par « des couches qui représentent ou préfigurent la dissolution de toutes les classes », c'est-à-dire par la masse toujours croissante des exclus ? Doit-on attribuer à « la non-classe des non-producteurs » le rôle historique déterminant dans le passage à la société sans classe ? L'idée ne manque pas de force, mais on peut craindre qu'elle n'investisse la non-classe des exclus d'une mission non moins messianique que celle que Marx attribuait au prolétariat : on ne ferait alors que changer de messie... On retiendra cependant la suggestion, qui semble pré-

senter quelque convergence avec la démarche zapatiste, tout en proposant de l'intégrer dans une hypothèse plus ample, fondée sur une conjugaison de forces
antisystémiques de natures distinctes. On en voit trois
principales :

– Les luttes de tous les « exclus », des sans-travail,
des sans-toit et des sans-droit, mais aussi des multiples
groupes discriminés (indigènes, migrants victimes du
racisme, homosexuels, etc.), dont les luttes particulières peuvent, dans certaines conditions, être le biais
d'une prise de conscience plus globale (d'autant que les
« exclus » forment une catégorie certes minoritaire mais
chaque fois plus importante, puisqu'on calcule qu'ils
sont aujourd'hui 65 millions en Europe). C'est aussi le
cas des luttes des femmes, puisque la discrimination
dont elles sont victimes croît en proportion de l'exploitation qu'elles subissent, de sorte qu'elles ont toujours
plus de raisons de lutter et toujours plus à gagner de la
lutte que les hommes. Il suffit à cet égard de rappeler
le rôle si important des femmes zapatistes, triplement
victimes comme paysans pauvres, comme indigènes et
comme sexe dominé.

– La plupart des travailleurs salariés de l'agricul-
ture, de l'industrie et des services, dont la grande majorité au niveau mondial subit une exploitation redoutable et vit dans des conditions modestes, voire
misérables. On peut leur adjoindre les salariés moyens
de plus en plus atteints par la précarité, ainsi qu'une
partie des salariés aisés, conscients des dangers du
néolibéralisme. Au-delà de la polémique sémantique
associée au « prolétariat », l'essentiel est de rappeler que
l'exploitation, la pauvreté économique, la fragilité

sociale et la misère culturelle continuent d'être des motifs fondamentaux de rébellion. Ceux qui les subissent sont l'immense majorité de la population mondiale : parmi les 6 milliards d'habitants de la planète, on estime que 600 millions seulement vivent confortablement, tandis que les 90 % restant connaissent la pauvreté ou la misère. On pourra discuter la signification de tels chiffres, qui recouvrent des situations fort diverses, et admettre que la pauvreté ne suffit pas à faire naître la révolte, mais du moins ces données rappellent-elles que les raisons objectives de lutter sont loin d'avoir disparu.

– Finalement, on en arrive à reconnaître que le néolibéralisme affecte, d'une manière ou d'une autre, la quasi-totalité de la population mondiale. Ceux au profit de qui joue substantiellement l'organisation actuelle du monde constituent une fraction ridicule de l'humanité. Les véritables maîtres du monde – c'est-à-dire ceux qui détiennent des capitaux en quantités suffisantes pour peser sur le destin des grandes entreprises, des États et de la planète tout entière (et non pas ceux que quelques miettes du gâteau boursier suffisent à convaincre qu'ils ont intérêt au *statu quo*) – constituent une poignée d'individus qui frôle l'inexistence statistique. Et quand bien même on leur adjoindrait quelques bataillons de sous-fifres largement rémunérés pour leurs basses besognes administratives, policières ou médiatiques, ainsi que tous les chefs des mafias mondiales et les hommes politiques qui partagent avec eux les bénéfices des commerces légaux et des trafics illicites, il est douteux que l'on atteigne le seuil de 1 % de la population mondiale. La planète néolibérale est aujourd'hui une machine folle qui tourne au bénéfice de la plus dérisoire des minorités, la seule que le néolibéralisme se garde bien d'exclure ! Ce qui revient à dire que c'est l'humanité (presque) tout entière qui est potentiellement intéressée à la lutte contre le délire néolibéral.

C'est d'autant plus vrai que si les pollutions traditionnelles affectent surtout les ouvriers et les populations pauvres vivant à proximité des zones industrielles, les nouvelles maladies causées par un développement entièrement soumis à la loi du profit (vache folle, sang contaminé, effets des cultures transgéniques et des usages massifs de pesticides, sans parler des nuages radioactifs de demain ou des rayonnements solaires traversant une couche d'ozone atrophiée) ne font plus guère de différences de classe. Plus personne, ou presque, n'est préservé de la déraison néolibérale. Plus personne non plus n'est à l'abri de la violence qui s'empare du monde : agressions, enlèvements, vols d'organes, délinquance gratuite, agressivité infantile meurtrière, sans parler des massacres massifs de population, charniers et nettoyages ethniques. Certes, la délinquance constitue aujourd'hui, avec le terrorisme, l'un des principaux atouts de la domination qui, par le biais du discours sécuritaire obsessionnellement martelé par les médias, entretient un sentiment de peur bien apte à diviser les populations, à occulter les véritables causes de leurs difficultés et à faire jouer le besoin de protection au profit des autorités en place. Pourtant, il suffirait de rompre cet écran de fumée et de prendre conscience que la délinquance et la violence généralisée ne sont que le reflet en miroir de la brutalité sauvage du néolibéralisme pour que chacun voie dans cette folie une raison supplémentaire de se révolter. Car, encore une fois, personne – même parmi les privilégiés de ce monde – n'est à l'abri d'une balle tirée depuis le fond d'une dérive humaine en quête de quelques grammes de paradis artificiel ; personne ne peut jurer que son enfant ne sera un jour enlevé par un gang chargé de vendre ses yeux ou ses reins au plus offrant, ou poussé dans les pièges de la drogue par les séductions intéressées des narco-trafiquants.

Dans ce monde tournant comme une roulette désaxée et sans repère, la folie s'empare des plus jeunes qui tuent, peut-être par identification à la violence télévisuelle, mais surtout parce qu'ils ne voient à leur portée aucun autre moyen d'exister ou de résister à un système scolaire qui leur impose une pression insoutenable ou les place en position d'échec et de soumission. Quant aux filles, elles se prostituent (un quart des collégiennes et lycéennes japonaises) au seul motif de pouvoir acheter les derniers vêtements à la mode, maquillages ou autres artifices d'une apparence devenue tristement vitale. Mais ce sont les drogues qui montrent le plus crûment ce à quoi conduit une soumission généralisée à l'économie marchande. Son terreau est la misère, économique ou humaine, et une fois que germe le moderne arbre du mal, toute l'existence de l'homme se confond avec la recherche frénétique de l'argent, indispensable à la survie. La drogue est ainsi le moyen le plus radical d'assujettir des vies entières à l'argent roi, jusqu'à la déchéance et la trahison, jusqu'à la destruction de tous les liens interpersonnels et au paroxysme d'un individualisme réduit à la plus pathétique solitude. La drogue est l'un des nœuds de la folie néolibérale, qui s'insinue jusque dans les nerfs et les veines de ses victimes pour détruire l'humanité et la soumettre aux lois de la marchandise et du profit. Elle est l'un des symptômes sinistres du devenir-marchandise de la vie humaine, par quoi le néolibéralisme affecte (presque) toute l'humanité.

D'où le pari sur la possible convergence de ces trois facteurs : les luttes des exclus et des minorités (bien plus amples qu'on ne le croit) revendiquant le droit à l'existence sociale qui leur est dénié ; les luttes des travailleurs salariés s'insurgeant contre l'exploitation qu'ils subissent ; la lutte de l'humanité (moins sa frange inhumaine) prenant conscience qu'elle est menacée dans sa dignité et dans sa survie. Il n'est pas dit que cette convergence se réalise jamais, tant sont puissants les ressorts de division de l'humanité et tant est efficace l'illusionnisme médiatico-idéologique. Mais si – sous l'effet de circonstances imprévues et capables de surprendre tout le monde, comme l'histoire en général et les années récentes en particulier ont toujours su en nouer – cette convergence venait à se produire, on peut bien penser qu'elle serait *explosive*.

On devrait donc renoncer à l'idée d'*un* acteur social messianique, qu'il s'agisse de la classe prolétarienne ou de la non-classe des exclus, sans pour autant dissoudre le pari utopique dans l'espérance en une humanité conçue comme une entité homogène et abstraite. La triple alliance suggérée impose au contraire de reconnaître à la fois le rôle fondamental des inégalités sociales (et donc des antagonismes structurant l'espace social), celui des populations hors classes rejetées en quantité toujours croissante par le néolibéralisme, tout en intégrant la perspective d'un dépassement de la division en classes au nom des intérêts de l'humanité tout entière. Il s'agit aussi d'établir une interrelation entre ces trois niveaux car, si l'exploitation paraît être encore une des raisons les plus valides de la rébellion, toutes les luttes que l'on mentionne, y compris celles des plus exploités, deviennent dans leur essence anti-néolibérale une lutte pour l'humanité. Car désormais le capitalisme, non seulement prive l'humanité de l'existence digne dont elle a collectivement les moyens, mais la menace dans sa survie, de sorte que l'instinct de conservation peut être enrôlé dans le camp de la révolte. Cela revient donc à faire l'hypothèse que le dépassement de la division en classes ne pourra pas être seulement l'œuvre d'une classe particulière, ni celle de la non-classe des non-producteurs, mais qu'elle devra *aussi* s'accomplir, dans son processus même, par un dépassement de l'antagonisme de classe au profit d'une perspective intégrant d'emblée le souci de l'humanité dans sa (presque) globalité.

Ce sont les textes zapatistes eux-mêmes qui suggèrent l'intégration de cette triple perspective, et c'est en ce sens que l'on peut comprendre l'idée zapatiste de la lutte pour l'humanité. Il ne s'agit pas de l'humanité homogène et abstraite d'un humanisme bon teint. L'humanité zapatiste est une humanité *décentrée*, une humanité vue d'en bas, qui considère d'abord les plus petits, les marginaux et les exclus, puis les pauvres et les exploités, et enfin tous ceux qu'affecte le néolibéralisme. Et bien entendu, une telle perspective n'oublie pas de pointer l'arme de sa parole et de ses actes contre les ennemis que l'humanité compte en son sein : les maîtres du monde et leurs chiens de garde. L'humanité zapatiste est une humanité diverse et divisée, mais qui cherche dans sa lutte contre le néolibéralisme à faire naître l'humanité enfin complète d'un monde juste et digne.

Au reste, une telle préoccupation est loin d'être absente de la tradition marxiste, pour peu qu'on veuille bien s'écarter de ses versions économicistes les plus communes. Déjà, le jeune Marx soulignait que le capitalisme rend l'homme « étranger à l'essence humaine », insistait sur la bestialité sociale engendrée par le règne de la marchandise et qualifiait l'économie politique de « reniement achevé de l'homme » (*Manuscrits de 1844*). Dans la *Sainte Famille*, il affirmait que, dans le monde capitaliste, « l'homme s'est perdu lui-même », créant en même temps les conditions d'une « révolte contre cette inhumanité ». Et cette veine ne disparaît pas de ses œuvres ultérieures, même si elle paraît parfois éclipsée par l'insistance sur les vertus progressistes du capitalisme industriel. En effet, tout en reconnaissant que le développement des forces productives permis par le capitalisme répond à une nécessité historique, Marx souligne dans de nombreux textes les « péripéties affreuses » auxquelles cet essor expose l'humanité ; et *Le Capital* indique clairement que le capitalisme « transforme chaque progrès économique en une calamité publique ». Un auteur tel que G. Lukács, particulièrement sensible à cette inspiration, amplifie encore cette thématique, en soulignant « l'inhumanité, l'essence tyrannique et destructrice de toute humanité, inhérente au capitalisme » et en dénonçant « le caractère déshumanisé et déshumanisant de la relation marchande». Les relations sociales propres au capitalisme, que Lukács synthétise par le concept de réification, «dépouillent l'homme de son essence d'homme», de sorte que «plus la culture et la civilisation (c'est-à-dire le capitalisme et la réification) prennent possession de lui, moins il est en état d'être homme». Seule l'abolition des règles de la marchandise pourrait restituer aux activités sociales leur finalité humaine et permettre de retrouver «l'essence vraie de l'homme, libérée des formes sociales fausses et mécanisantes». Mais, pour G. Lukács, de telles affirmations n'ont de sens qu'à la condition d'éviter «le grand danger de tout humanisme», qui risque d'exalter une notion non historique et non dialectique de «l'homme tout court, de l'homme abstraitement absolutisé», prenant «simplement la place des puissances transcendantes qu'il aurait pour vocation d'expliquer, de dissoudre et de remplacer méthodologiquement». L'humanisme d'inspiration marxiste n'est possible que si la référence à une essence vraie de l'humanité, déniée par la logique capitaliste, est articulée à une vision de l'homme «comme membre d'une totalité concrète, de la société» et si le souci de l'humanité est lié à une «connaissance correcte du présent» et donc à une critique intégrale de la logique capitaliste.

Enfin, on rappellera que le Che ne se faisait pas faute de revendiquer la dimension humaniste du marxisme (ce qui n'allait pas alors sans de vives polémiques), soulignant qu'on aurait tort d'oublier «le caractère humaniste des inquiétudes» du *Capital*. C'est pourquoi il se proposait de «mettre l'homme au centre», non sans préciser l'écart entre l'homme nouveau qu'il s'agissait de faire naître et l'individu bourgeois, ou encore entre l'humanisme prolétarien et sa version bourgeoise. Étant entendu que, dans les conditions du moment, l'humanisme ne peut se départir d'un caractère de classe, le souci de l'humanité tout entière, le respect de la vie humaine, les valeurs de liberté et de dignité avaient une place importante dans la pensée du Che, et il est peu difficile d'imaginer que cette veine du marxisme humaniste soit parvenue jusque dans les montagnes du Chiapas.

Qu'est-ce que l'humain dans l'expérience zapatiste ?

Il faut maintenant se demander plus précisément de quel sens l'expérience zapatiste investit ces mots : l'humain, l'humanité (que l'on utilise plus volontiers que celui d'humanisme, toujours suspect d'ambiguïté quoique susceptible de rédemption). On a déjà fait état de nombreuses valeurs, comme la tolérance et l'inclusion ; mais il est une notion qui, plus que tout autre, résume l'idée zapatiste de l'homme : *la dignité*. Ce terme est du reste présent dans le filon humaniste du marxisme, que l'on vient d'évoquer. Il apparaît dans le passage du *Manifeste communiste* cité en tête de ce chapitre, ou encore dans un article de 1847 où Marx indique que «le prolétariat a besoin de sa dignité plus encore que de pain». Le terme est aussi omniprésent dans le discours du Che, où il se réfère principalement à l'espérance de justice sociale et à la révolte contre la misère et l'oppression si durement vécues en Amérique latine. Et pourtant Marcos, évoquant l'époque où le cocktail zapatiste prend forme dans la Selva, indique que l'importance donnée à cette notion de dignité « n'est pas un apport de notre part [des militants métis], ce n'est pas un apport de l'élément urbain, cela vient des communautés » (RZ).

Point de convergence (ou de résurgence) possible d'une double tradition, la dignité s'enracine dans la parole zapatiste et s'y fait omniprésente, au point que la marche que l'Ezln entreprend vers Mexico, le 24 février 2001, est dénommée « Marche de la dignité indigène ». La notion n'est pas pour autant facile à cerner, et les zapatistes se gaussent des maux de tête qu'elle occasionne aux technocrates au pouvoir : le commandant Tacho raconte ainsi avec malice comment, durant le dialogue de San Andrés, les représentants du gouvernement « dirent qu'ils étudiaient beaucoup ce que signifie la dignité, qu'ils consultaient et faisaient des études sur la dignité. Que tout au plus ils pouvaient comprendre que la dignité consiste dans le service d'autrui. Et ils nous demandèrent de leur dire ce que nous entendons par dignité. Nous leur avons répondu qu'ils poursuivent l'enquête. Cela nous fit rire et nous avons ri devant eux. Ils nous ont demandé pourquoi et nous leur avons dit qu'ils possédaient de grands centres de recherche et des écoles de haut niveau et que s'ils ne trouvaient pas, cela serait une honte. Nous leur avons dit que si nous parvenions à signer la paix, alors nous leur dirions finalement ce que signifie pour nous la dignité ».

La dignité zapatiste a certainement beaucoup à voir avec la lutte, la résistance. Les indigènes se décrivent

comme les plus petits et les plus oubliés ; mais jamais
il ne s'agit de susciter la compassion, pourtant fort en
vogue à l'ère de l'humanitarisme triomphant. Les zapatistes ne veulent pas d'une aide inspirée par la pitié, qui
ruinerait le sentiment d'être respecté et traité d'égal à
égal par autrui, sans lequel il n'est nulle dignité possible. Ces gens sont des résistants (ajouter « dignes »
relèverait du pléonasme), qui nous impressionnent par
leur force, leur courage serein, leur calme jusque dans
la plus grande angoisse, leur humour où se mêlent
résignation et détermination et qui jusqu'au bout refuse
le pathétique. Seuls ceux qui ont eu l'occasion de
connaître l'énergie morale et l'infatigable résistance
des indigènes chiapanèques peuvent se faire une idée
de la noblesse humaine de ce mouvement. Telles sont,
en substance et adaptées pour la circonstance, les
paroles par lesquelles Marx rendait hommage aux
ouvriers français et anglais rencontrés vers 1840, dans
les luttes d'un mouvement autonome à peine émergent.
Noblesse humaine de ceux qui résistent : c'est sans
doute ce que dit aujourd'hui le mot de dignité, dans le
langage des indigènes zapatistes. Car la dignité dont il
est question ici n'est pas un mot commun, sans quoi,
partagé par tous, il ne serait qu'un passe-partout rhé-
toriquement vide. Il désigne un affrontement sans
merci, un combat acharné, qui sait que la dignité
n'existe pas hors de la lutte pour la conquérir ou la
conserver : « Ainsi, la dignité n'est pas encore. Ainsi, la
dignité est sur le point d'être. Ainsi, la dignité est la lutte
pour que la dignité soit enfin le monde. Un monde où
trouvent place tous les mondes » (27 février 2001).
    La dignité est synonyme de rébellion et de lutte, et le

soulèvement zapatiste a pu être défini comme «une révolte de la dignité» (J. Holloway : «L'affirmation de la dignité implique sa négation présente... La dignité est et n'est pas : elle est la lutte contre sa propre négation... La dignité est la vérité de la vérité niée»). Ainsi se présente le cheminement des insurgés : «Nous vîmes que nous n'avions rien d'autre que la DIGNITÉ et que grande était la honte de l'avoir oubliée, et nous vîmes que la DIGNITÉ était bonne pour que les hommes fussent à nouveau hommes, et la dignité revint habiter dans notre cœur, et nous fûmes nouveaux une fois encore, et les morts, nos morts, virent que nous étions nouveaux une fois encore, et ils nous appelèrent une nouvelle fois à la dignité, à la lutte» (2 février 1994). Pour les indigènes, la dignité est d'abord la certitude de ne plus avoir à éprouver ni à redouter, dans les yeux d'autrui, la trace d'un mépris et d'un racisme séculaires ; elle est plus encore la possibilité de détruire, dans son *propre* regard, le triste reflet que laisse ce regard d'autrui qui humilie et s'avilit en humiliant.

C'est pourquoi les discours de la Marche de février-mars 2001 soulignent que la dignité est une notion *relationnelle*, nécessairement réflexive et symétrique : elle est regard sur soi dépourvu de honte, regard respectueux envers l'autre autant que regard respectueux de l'autre. Elle n'est donc pas une préoccupation des seuls indigènes : «Quand nous parlons de la dignité indigène, nous parlons de ce que nous sommes comme indigènes et de ce qu'est l'autre qui n'est pas comme nous (...) La dignité indigène est un pont qui a besoin d'une autre rive vers laquelle se tendre, d'un autre pour le regar-

der et être regardé.» La dignité devient alors le fondement d'une relation interpersonnelle assumant la pleine
reconnaissance de soi (comme soi par rapport à l'autre)
et de l'autre (comme autre par rapport à soi) ; elle
devient le nom d'une nouvelle relation sociale respec-
tueuse des différences et soucieuse de leur faire place
dans l'unité collective, sans les nier comme différences :
«La dignité est un pont. Elle a besoin de deux côtés qui,
étant différents, distincts et distants, deviennent *un*
grâce au pont, sans cesser d'être différents et distincts,
mais en cessant déjà d'être distants (…) La dignité exige
que nous soyons nous-mêmes. Mais la dignité ce n'est
pas seulement que nous soyons nous-mêmes. Pour
qu'existe la dignité, l'autre est nécessaire. Parce que toujours nous sommes nous-mêmes en relation à l'autre.
Et l'autre est autre en relation à nous. La dignité est
donc un regard. Un regard sur nous-mêmes qui regarde
aussi l'autre, se regardant et nous regardant. La dignité
est donc reconnaissance et respect. Reconnaissance de
ce que nous sommes et respect de ce que nous sommes,
oui, mais aussi reconnaissance de ce qu'est l'autre et
respect de ce qu'est l'autre» (27 février 2001). Indissociablement, le soulèvement pour la dignité signifie le
rejet de l'injustice présente et le désir d'un monde futur
où la vie humaine serait pleinement réalisée. La dignité
n'est donc nullement un concept humaniste vague ; elle
résume l'ensemble de la lutte zapatiste, car si le capitalisme détruit la dignité humaine et accumule les
effets déshumanisants, alors la rébellion de la dignité
désigne toutes les révoltes contre le capitalisme, toutes
les insoumissions de l'humanité luttant contre sa destruction. Le mot de dignité n'est finalement qu'une

autre manière de nommer la lutte pour l'humanité et contre le néolibéralisme, le combat pour une vie humaine et contre les forces de l'inhumanité globalisée.

Reste à voir comment cette exigence prend corps dans l'expérience des zapatistes, ce qui appelle quelques remarques sur le style de leurs documents et de (certains aspects de) leur pratique. C'est d'abord dans de baroques Post-Scriptum, inaugurés dès le 6 février 1994 et appelés à devenir une marque de fabrique de l'écriture du sous-commandant, que se développe une forme de discours fort éloignée de la rhétorique politique conventionnelle, avant de s'étendre peu à peu au corps même des communiqués. C'est là un aspect qui a beaucoup surpris et certainement contribué au succès de l'Ezln ; il a aussi amplement retenu l'attention des médias, friands de tout ce qui peut paraître nouveau, et habiles, selon leur logique implacable, à réduire ce « nouveau langage » à ce qu'il a de plus superficiel et de plus anecdotique. On a ainsi glosé à l'infini sur l'humour et le sens de la dérision du sous-commandant, sur ses dons de communication, sur son goût insolite de la poésie, et enfin sur un talent littéraire qui propulsait le héros de la jungle au rang des plus grands écrivains latino-américains.

Quoi qu'on en pense, l'œuvre de création est indéniable. Les contes du vieil Antonio forment un corpus de récits remarquables, dus à la plume de Marcos mais recueillis, selon les explications de ce dernier, de la bouche de celui qui lui ouvrit l'accès à la culture indigène. Le processus d'élaboration de ces textes et les relations avec d'autres traditions orales connues par ailleurs restent à étudier, de sorte qu'on ne sait trop la part qui revient au vieil homme ou à d'autres sources indigènes et celle qui est attribuable à Marcos lui-même (on peut se demander si, au fil du temps, n'irait pas croissante la part d'invention du sous-commandant, se glissant peu à peu dans la peau de ses compagnons mi-réels mi-imaginaires, et finalement de plus en plus incorporé au monde indigène). Au demeurant, cette question pourrait bien ne soucier que quelques anthropologues dépossédés de leur monopole de compréhension de la culture indigène. Car l'important est de reconnaître dans ces textes, même si le rôle de qui tient la plume est plus grand qu'il ne le dit lui-même, un étonnant processus de mélange, qui confère à Marcos un rôle de passeur culturel, capable de transmettre au-dehors certains aspects des mentalités indigènes (surtout à l'intention de l'intelligentsia urbaine mexicaine, dont il utilise du reste avec brio le langage et les formes de pensée).

Quant au scarabée Durito-Don Quichotte, digne *caballero andante* de la Selva Lacandona lancé à l'assaut du néolibéralisme et dont Marcos se fait l'humble écuyer, c'est une jolie trouvaille qui a fait l'admiration d'au moins un prix Nobel de littérature (José Saramago). Il faut d'ailleurs rappeler que Che Guevara, lui aussi, lisait *Don Quijote* dans la Sierra Maestra (et que dans sa dernière lettre à ses parents, il se compare ironiquement au héros de Cervantes), de sorte que cet exemple n'est peut-être pas pour rien dans l'importance que Marcos accorde à cette œuvre. Le sous-commandant n'a donc pas l'exclusivité du guérillero-lecteur, même s'il faut reconnaître que peu avant lui

avaient distillé autant de citations, du Popol Vuh à
Lewis Carroll, de Julio Cortázar à Shakespeare et de
García Marquez à Brecht, sans oublier Dante, Umberto
Eco et de nombreuses chansons populaires non moins
dignes de figurer dans cette liste. Enfin, s'agissant des
talents poétiques du chef masqué, chacun en jugera
selon son goût, tandis que son humour et son sens de
la dérision ne sont guère niables, même si leur effet
s'est sans doute quelque peu usé au fil des années
(selon un phénomène inévitable à l'ère médiatique).

Mais toutes ces remarques risquent de faire manquer
l'essentiel, car les traits originaux du discours de Marcos ne peuvent être réduits à de simples artifices de
professeur en communication, ni à des trucs médiatiques destinés à appâter le client postmoderne. Certes,
il y a sans doute dans ses textes quelques excès nom-
brilistes (dont il se moque à l'occasion) et certaines
facilités inutiles ; et lui-même ne semble pas toujours
éviter le piège que lui tend son propre succès. On le
sent parfois fort occupé à construire sa propre image
(par exemple lorsqu'il demande à des reporters de
refaire la prise de son arrivée à cheval), mais on n'en
conclura pas pour autant à une répétition du culte de
la personnalité de type stalinien ou maoïste : à cette
aune-là, Marcos est un enfant de chœur. Et si l'on doit
reconnaître l'existence d'une grande admiration pour
le chef qu'il est, repérable aux efforts d'imitation de certains commandants ou à l'excessive confiance que certains parmi les bases d'appui zapatistes placent en lui
(« nous, on ne sait pas ; lui, il sait »), il faut aussi lui faire
crédit d'efforts réels, quoique pas toujours dénués
d'ambivalence, pour lutter contre cette tendance (comme

il le dit ironiquement, «nous avons mis un passe-montagne pour qu'il n'y ait plus de caudillo, et maintenant nous avons un caudillo avec passe-montagne»).

C'est que l'importance donnée à l'arme de la parole constitue, dans un monde dominé par la logique du spectacle, un jeu fort risqué, dans lequel il est presque impossible d'éviter les ambiguïtés ou les faux pas. Si Marcos, ayant fort bien compris le fonctionnement du système des médias, les utilise avec talent au service de la lutte zapatiste, le retournement par lequel il deviendrait leur jouet n'est jamais loin : c'est sur le fil tendu de cette relation, riche d'avantages autant que de dangers, que le sous-commandant s'avance depuis 1994. Car une fois capté l'intérêt des médias, comment le maintenir durablement (avec le bénéfice politique qui en découle), sans se laisser prendre à ce jeu trouble qui fait de vous l'image que les médias exigent pour continuer à vous prêter attention ? De ce point de vue, le fait que l'on ait pu évoquer, durant les années 1998-2000, un déclin de la stratégie de communication zapatiste est peut-être le signe d'une sagesse bien plus grande que ne l'aurait été l'invention incessante de gesticulations ou de danses du ventre destinées à se maintenir à tout prix au centre de la piste. Puis, la nouvelle phase inaugurée le 2 décembre 2000 et en particulier la Marche pour la dignité indigène ont replacé les zapatistes sous les feux de l'attention nationale et internationale. Le risque de restriction du champ de vision au seul charisme du leader s'est alors trouvé dangereusement accentué, sous le triple effet de l'attitude des moyens de communication (jusqu'au *Monde diplomatique* succombant aux petits plaisirs phonétiques et titrant «Marcos marche sur Mexico»), de la propension à faire du sous-commandant l'inévitable champion de l'applaudimètre des concentrations populaires, et de la stratégie de communication du président Fox, s'obstinant à s'adresser au seul Marcos, avec une impolitesse appliquée envers les 23 autres délégués indigènes de l'Ezln et dans l'intention évidente de faire de l'individualisation de son adversaire le reflet de son propre pouvoir personnel.

Mais la Marche aura culminé avec la réception de la délégation zapatiste au Parlement et la surprise d'un sous-commandant absent, soucieux que rien ne vienne brouiller ce moment historique où la parole indigène était enfin écoutée par la nation et accueillie par ses institutions, s'éclipsant pour désarmer des opposants politiques prompts à dénoncer son protagonisme, et sans doute pas mécontent de perturber la logique des médias. Même si Marcos absent est resté très présent et si son choix s'est révélé fort judicieux en termes d'image, son attitude de retrait a permis de donner toute sa force à la parole indigène et de se dégager quelque peu de l'engrenage médiatique. Il n'en reste pas moins que, globalement, la tendance à réduire le zapatisme au seul Marcos − si elle est essentiellement l'effet de la logique médiatique dont l'une des tâches consiste à dénier les réalités sociales en n'exhibant, sur la scène de la grande mascarade planétaire, que des individus − a incontestablement pu tirer profit de la *personnalisation* qu'implique le rôle immense acquis par Marcos en tant que porte-parole de l'Ezln (ce dont il fait lui-même la critique : «L'erreur fondamentale de Marcos est de ne pas avoir pris garde (...) de ne pas avoir prévu cette personnalisation et ce protagonisme qui souvent, si ce n'est dans la majorité des cas, empêche de voir ce qu'il y a derrière lui (...). Cela, beaucoup de gens ne l'ont pas perçu, et cela tient beaucoup au fait que Marcos a bouché la vue, obstrué la vision de ce qu'il y a derrière » ; entretien avec Julio Scherer, 10 mars 2001).

Pourtant, au-delà de ces ambiguïtés et de ces possibles erreurs, l'apport des zapatistes est d'avoir ouvert le chemin d'une politique réconciliant la fin et les moyens, c'est-à-dire s'efforçant de lutter humainement pour l'humanité. On défendra donc l'idée que le style du discours zapatiste est une pratique décisive qui contribue à la critique en acte des dérives des mouvements révolutionnaires du siècle passé, en particulier de leurs tendances ascétiques et finalement antihumaines. L'humour, l'(auto)dérision et l'indéfinition sont autant d'efforts pour éviter de se prendre au sérieux, autant de tentatives pour lutter contre le culte de la personnalité, le dogmatisme et les certitudes trop carrées qui ont marqué la formation initiale des zapatistes. L'humour grinçant de Marcos s'exerce d'abord au détriment de ses adversaires politiques, par exemple lorsqu'il lance au gouverneur du Chiapas, Roberto Albores Guillén, le surnom de « Croquetas » (croquettes pour chien) et lui adresse, en octobre 1998, un communiqué qui contient en tout et pour tout le dessin d'un os ! En bien des occasions, il se moque sans mesure du gouvernement, ainsi lorsqu'en juin 1998, il rompt quatre mois d'un « silence zapatiste » qui avait fait couler beaucoup d'encre en émettant un laconique communiqué qui laisse tout le monde pantois : « yepa, yepa,

yepa ! ándale, ándale ! arriba, arriba ! yepa, yepa !»
(mais la farce a ses limites, et le jour suivant tombent
seize pages d'analyse politique formant la cinquième
Déclaration de La Selva).

Son humour s'exerce aussi à ses propres dépens,
ainsi lorsqu'il se qualifie de *narizón* (celui qui a un
grand nez) et justifie son refus d'ôter son passe-montagne en argumentant que cela ruinerait son sex-
appeal et mettrait fin à l'admiration de ses fans. Son
sens de la distanciation se manifeste avec une force
particulière au cœur de la crise de février 1995, lorsque
le gouvernement mexicain lance l'armée à l'assaut des
positions zapatistes. Onze jours après le début de l'offensive et sept jours après avoir vu passer « la mort
vêtue de vert» à dix mètres de son refuge, il se garde
de donner à cet épisode la moindre tonalité épique et
note, dans un de ses fameux Post-Scriptum, «de toute
manière, il aurait mieux valu mourir là plutôt que de
devoir affronter un jour Eva et tenter de lui expliquer
pourquoi je n'avais pu évacuer ses cassettes vidéos de
Bambi, Le Livre de la jungle et *L'École des vagabonds*»,
à quoi fait suite le récit du débat entre les deux enfants
Eva et Heriberto à propos du sexe de Bambi ! Le même
jour, Marcos, dont la capture est le principal objet de
l'offensive gouvernementale, se livre à un jubilatoire
exercice d'auto-inculpation en imaginant son propre
procès et les chefs d'accusation retenus contre lui (certains verront sans doute dans cette accumulation iro-
nique de toutes les fautes possibles la marque d'une
certaine mégalomanie) : «… les Blancs l'accusent
d'être noir. Coupable. Les Noirs l'accusent d'être blanc.
Coupable (…) Les machos l'accusent d'être féministe.

Coupable. Les féministes l'accusent d'être macho. Coupable. Les communistes l'accusent d'être anarchiste. Coupable. Les anarchistes l'accusent d'être orthodoxe. Coupable (…) Les réformistes l'accusent d'être ultra. Coupable. Les ultras l'accusent d'être réformiste. Coupable. L'"avant-garde" historique l'accuse d'en appeler à la société civile et non au prolétariat. Coupable. La société civile l'accuse de perturber sa tranquillité. Coupable (…) Les sérieux l'accusent d'être blagueur. Coupable. Les blagueurs l'accusent d'être sérieux. Coupable. Les adultes l'accusent d'être un enfant. Coupable. Les enfants l'accusent d'être un adulte. Coupable. Les théoriciens l'accusent d'être pratique. Coupable. Les praticiens l'accusent d'être théorique. Coupable…»

Le rire aussi a sa place dans l'expérience zapatiste. Concluant la Rencontre continentale américaine de 1996, Marcos accepte certaines critiques dont les zapatistes furent alors l'objet et indique : «Le message d'inauguration a satisfait certains et a préoccupé les autres. L'exposé de Durito a dérangé les uns et a rappelé aux autres que ces zapatistes ont les avions, les hélicoptères et les tanks sur le dos mais qu'ils savent rire et se regarder dans le miroir avec humour. Car nous autres nous pensons que cette idée de faire un monde nouveau est une chose très sérieuse et que, si nous ne rions pas, ce qui va sortir de tout ça c'est un monde si carré qu'il n'y aura aucun moyen d'en faire le tour» (7 avril 1996). Ainsi, le rire n'est pas seulement le défoulement passager de qui a besoin de respirer de temps à autre avant de replonger la tête sous l'eau. Le rire est un moyen indispensable à la réalisation de la tâche la plus sérieuse qui soit : construire un monde neuf. Le rire et l'humour sont les formes mêmes de l'expérience sans lesquelles cet objectif fondamental est voué à demeurer inaccessible. À travers de telles affirmations, le zapatisme s'efforce de dépasser la vision traditionnelle du militantisme révolutionnaire, vécue dans la plus puritaine austérité morale, dans le renoncement total de l'individu et son sacrifice sur l'autel de la cause. Certes, les zapatistes sont capables d'accorder plus de valeur au projet collectif qu'à leur propre vie et assument l'horizon du sacrifice, fréquemment rappelé et inscrit dans la devise que l'Ezln emprunte au héros de l'Indépendance, Vicente Guerrero («Vivre pour la patrie ou mourir pour la liberté»). Mais ils savent tout autant s'en distancier, afin d'éviter que l'héroïsme et le don annoncé de son propre sang ne servent de base au pouvoir séparé de l'organisation et de ses dirigeants («Nous ne possédons pas cette aspiration à la mort; nous n'aspirons pas à ce que notre sang fertilise le chemin de la libération du Mexique. Nous préférons le fertiliser avec notre vie (...) Notre mort n'est pas indispensable pour que le Mexique soit libre, et nous allons faire tout notre possible pour ne pas mourir et que le Mexique soit libre», RZ).

Si le rire est le propre de l'homme (et de la révolution), les zapatistes font aussi place à l'amour. De ce sentiment (et de sa contrepartie, la haine), Marcos n'hésite pas à parler. Il le fait presque toujours en termes généraux, par exemple lorsqu'il offre, en un texte qui imbrique le sentiment intime et l'esprit de la lutte politique, ce conseil : «Tenter vraiment de changer et d'être meilleur, chaque jour, chaque soir, chaque nuit de pluie et de grillons. Accumuler la haine et l'amour avec patience. Cultiver le dur arbre de la haine de l'oppresseur, avec l'amour qui combat et libère. Cultiver l'arbre puissant de l'amour qui est vent qui purifie et soigne, non pas l'amour mesquin et égoïste, mais celui qui est grand, oui, celui qui rend meilleur et fait grandir... Et dans cet art, mettre en jeu la vie entière, corps et âme, souffle et espérance. Grandir, donc, grandir et croître, pas à pas, marche après marche. » De manière plus singulière, lors de la Rencontre intercontinentale, le sous-commandant parsème ses interventions d'allusions personnelles, sans doute imperceptibles pour la plupart de ses auditeurs, tandis que le 8 mars 2000, rendant hommage aux femmes zapatistes, il se laisse aller à quelques confessions intimes et ouvre son cœur à Durito, son compagnon au diagnostic sûr (« Ah ! Mal d'amour... ce qui te rend triste et chagrin n'est rien d'autre qu'une femme ») et au verdict impitoyable (« grands et graves sont tes fautes et tes égarements, mais je pourrais te conseiller si tu promets de suivre mes instructions au pied de la lettre »). Les uns ne verront là qu'une complaisance narcissique, accentuée par les effets délétères d'un abus d'isolement selvatique, ou encore l'amorce d'un feuilleton à l'eau de rose digne d'une *telenovela* mexicaine. Les autres reconnaîtront peut-être qu'un tel texte n'est pas sans vertu ni courage, puisqu'il fait vaciller l'image abstraite du chef, fort et inébranlable (et macho évidemment), le donnant à voir sous un jour (trop) humain et dévoilant ses faiblesses et les erreurs qui ont éloigné l'aimée de lui.

Enfin, s'il y a l'amour, il y a aussi la tendresse (cette

«tendresse qui parfois fait mal... cette tendresse qui aux uns paraît fleur bleue et aux autres dangereuse»). Et c'est sans doute à l'égard des enfants que celle de Marcos s'exprime le plus volontiers. À de nombreuses reprises, il décrit les peines et les jeux des enfants indigènes, nés au milieu de la guerre mais jamais désespérés, et rapporte en détail ses longues conversations avec eux. Avec leurs cris de vitalité et la sagesse de leur étrange logique, Eva, Heriberto, Olivio et bien d'autres sont les turbulents réconforts et les assidus compagnons des jours et des nuits du «Sup», inspirateurs indispensables de qui n'a pas tout à fait renoncé à être un des leurs. Au moment où débute la Marche pour la dignité indigène, paraît un long récit dédié aux enfants de Guadalupe Tepeyac, village en exil, qui est un texte «sur les enfants zapatistes, ceux qui furent, ceux qui sont et ceux qui viendront. C'est par conséquent un texte d'amour... et de guerre. Les enfants peuvent produire guerres et amours, rencontres et conflits. Magiciens imprévisibles et involontaires, les enfants jouent et créent le miroir que le monde des adultes évite et déteste» (février 2001). Prennent alors vie, à travers autant de petites scènes, «Beto, Heriberto, Ismita, Andulio, Nabor, Pedrito, Toñita, Eva, Chelita, Chagüa, Mariya, Regina, Yeniperr, et finalement, horreur de l'horreur! Olivio et Marcelo», avec leur énergie féroce et leur soif de tendresse, leurs questions désarmantes et leur parole ininterrompue, leur esprit de résistance et leur assurance de suppléer le «Sup». Et, soucieux de reconnaître la participation des enfants à la vie des communautés et à leurs luttes présentes et futures, les zapatistes peuvent affirmer : nous sommes «ceux qui, quand nous voulons jeter un œil au lendemain, regardons en bas et voyons un enfant, et en lui nous cherchons et découvrons non pas ce que nous avons été, mais le miroir de ce que nous serons» (21 mars 2001).

Admettre les vertus du rire et de l'humour, de la tendresse et de l'amour, conduit logiquement à reconnaître «le droit au plaisir, au travail libre, à la paresse, au plagiat reconnaissant et généreux» (mai 1996). Et quelle meilleure expression du plaisir que la *fête*, à laquelle les zapatistes ne se lassent pas de convier? La fête suppose la musique, qui n'est pas davantage un futile divertissement, comme le souligne un communiqué qui prend soin de remercier tous les groupes de musiciens qui ont apporté un soutien aux zapatistes. On ne peut réinventer le monde sans la musique et le chant, et c'est pourquoi l'invitation à un concert solidaire conclut : «les zapatistes chanteront. Parce que demain se construit aussi avec de la musique» (juin 2000). Et il n'est pas jusqu'au commandant David qui enregistre les cassettes de ses propres chansons... La fête, c'est aussi la danse, et les zapatistes ne perdent pas une occasion d'organiser un bal. En cela, ils ne font qu'imiter les dieux créateurs qui «s'adonnèrent à la danse parce que c'est ainsi qu'ils étaient ces dieux, qui ne désiraient rien d'autre que de danser et cherchaient tous les prétextes pour s'adonner à la marimba et aux mouvements de hanches». Selon ce magnifique récit du vieil Antonio, qu'il faudrait pouvoir citer intégralement, c'est en dansant que les dieux ont créé le monde, mettant fin ainsi au magma initial dans lequel il n'y avait ni temps ni espace : «Dans le temps d'avant, il n'y avait pas d'après... ainsi étaient les dieux dans le temps d'avant et commençait à naître dans leurs pensées l'idée d'inventer l'après, sans quoi le monde allait être fort triste d'être ainsi toujours arrêté dans l'avant sans jamais parvenir à l'après... et alors les dieux se mirent d'accord et dirent que, oui, c'était une très bonne idée de trouver l'après, et alors ils se mirent à danser de joie ; mais ils ne pouvaient guère danser car ils se trouvaient tous dans le même lieu, c'est-à-dire dans l'avant. Et alors, en dansant de cette manière, alors qu'ils étaient tous dans le même lieu, ils commencèrent à se heurter les uns contre les autres et, dans cette danse, les uns furent poussés d'un côté et les autres d'un autre, et alors l'avant se fit un tout petit peu plus large... et alors les dieux se rendirent compte qu'ils avaient inventé l'après... Et alors ils se rappelèrent que c'est lorsqu'ils s'étaient mis à danser ensemble qu'ils se heurtèrent et se poussèrent d'un côté et de l'autre... Alors les dieux se sentirent très contents de nouveau, et de nouveau ils s'adonnent à la danse, et de nouveau ils se heurtent, et de nouveau ils se retrouvent dans l'après, et alors ils restent séparés, deviennent sérieux de nouveau, et de nouveau se retrouvent dans l'avant ; et pendant un bon moment ils continuèrent ainsi, entre l'avant et l'après, entre rester sérieux et se livrer à la danse...» (7 avril 1996). Loin d'être un divertissement accessoire, la danse apparaît ici comme l'instrument de la fonction démiurgique des dieux : c'est par elle que sont créés, simultanément et indissociablement, rien moins que le temps et l'espace, les deux dimensions indispensables à toute vie humaine. On ne s'étonnera donc pas que Marcos puisse également écrire : «Vu de loin, cela peut paraître bien peu, mais vous voyez déjà que reconnaître l'autre, le respecter et l'écouter produit des choses aussi formidablement transcendantes qu'une danse» (21 janvier 1998).

Finalement, lorsque l'on parle de poésie, de quoi s'agit-il? Certainement pas de poèmes, et surtout pas de poèmes d'amour. En la matière, le sous-comman-dant déclare son incompétence : «On reste avec l'im-pression que ce que l'on ressent pour quelqu'un a déjà trouvé, dans les mots d'autrui, sa formulation parfaite. Et on froisse le papier (ou, en ces temps cybernétiques, on décrète le "delete" de l'archive en question) avec les lieux communs par lesquels le sentiment se fait lettre. Je m'y connais peu en poésie amoureuse, mais j'en sais assez pour que, lorsque quelque chose de cette sorte parvient à mes doigts, je sente que cela ressemble plus à un milk-shake à la fraise qu'à un sonnet d'amour» (8 mars 2000). Ce qu'on nomme la poésie de Marcos ne se sépare pas en des textes spécifiques. Sa poésie sans poème, c'est, en dépit de la guerre et des obliga-tions de la lutte politique, l'évocation constante du monde sensible : montagnes, fleurs, pluie, arc-en-ciel, sans oublier la lune, sa préférée. C'est la présence sen-sible d'êtres de chair, le goût de raconter des histoires, de faire des blagues, de regarder jouer des enfants. À travers ces détails auxquels s'accroche l'existence réelle, la poésie est le nom que l'on peut attribuer à la recherche de l'humain, des sentiments incarnés et du plaisir de vivre. S'il en est ainsi, la poésie n'est rien d'autre que l'humanité des hommes en quête de la réa-lisation de l'humanité. Non seulement elle est ce au nom de quoi se livre le combat des zapatistes (et de beaucoup d'autres), mais aussi la forme même que doit assumer cette lutte pour la réalisation de l'humain. Finalement, l'humour et le rire, l'amour et la tendresse, la fête et la danse ne sont que les formes particulières à travers lesquelles on tente de découvrir une « manière de tendre un pont (*puentear*) entre poésie et révolution » (mai 1996). Même s'ils ont remarquablement poussé l'expérience, les zapatistes ne sont certes pas les premiers (ni, espérons-le, les derniers) à prôner cette conjonction : « Toute révolution a pris naissance dans la poésie, s'est faite d'abord par la force de la poésie... Il ne s'agit pas de mettre la poésie au service de la révolution, mais bien de mettre la révolution au service de la poésie. C'est seulement ainsi que la révolution ne trahit pas son propre projet. »

Ainsi, l'intégration au discours politique d'une parole incarnée, sensible, rieuse ou rêveuse, insoumise aux règles de séparation des genres et s'assumant dans sa subjectivité inventive, n'est pas un artifice publicitaire (même si elle trouve sa limite dans le recours à une diffusion médiatique qui menace de la transformer en sa propre caricature). Elle est essentiellement un anti-dote à un discours militant sacrificiel qui se fige en une pratique politique déshumanisée. Elle est la marque d'une expérience qui sait qu'on ne peut pas avancer vers un monde meilleur par des chemins aussi sinistres que les geôles dans lesquelles le capitalisme entend laisser croupir l'humanité. La révolution ne res-semble pas toujours à « une partie de gala », et les mili-ciens zapatistes en savent quelque chose. Mais ils savent aussi que la révolution n'a pas de sens si elle ne s'assume pas en même temps comme une fête, si elle se prive de ces occasions si importantes que sont un bal ou un éclat de rire. Dans ce qu'elle a de meilleur, la pratique zapatiste exprime la conscience qu'il est vain de vouloir combattre l'aliénation sous des formes aliénées. En cela, elle ne fait que tirer les leçons d'un siècle d'échec d'une orthodoxie marxiste reposant sur des pratiques séparées, dissociant l'objectif final (la félicité idéale du paradis communiste) et les formes déshumanisées de la lutte. Pour qui veut bien reconnaître les conséquences tragiques de cette séparation, il faut admettre l'impossibilité de mener une lutte véritable pour l'humanité sans commencer à éprouver, dans le processus même de cette lutte, la vérité de cette humanité à laquelle on aspire, sans reconnaître le droit au plaisir et la nécessité d'une poésie qui n'est rien d'autre que le nom donné à une existence véritablement digne de l'homme.

C'est ainsi que peut prendre sens la lutte pour l'humanité et contre le néolibéralisme. Car il est clair que l'on ne peut défendre *l'homme*, tout en acceptant le monde tel qu'il est. La revendication de l'humain, de la dignité de l'homme et de la préservation de l'humanité ne peut qu'être, indissociablement, une critique de ce qui l'asservit présentement (le néolibéralisme) et une lutte pour l'en libérer. Et si l'objectif de celle-ci est la pleine réalisation de l'homme, elle doit revendiquer, dans le cours même de son cheminement, l'effort permanent pour donner forme d'emblée à l'exigence de dignité et pour libérer les forces de la poésie et de la fête.

III

La révolte de la mémoire
(Vers une nouvelle grammaire
des temps historiques ?)

« Il ne s'agit pas de conserver le passé
mais de réaliser ses espérances, tandis
qu'aujourd'hui le passé continue comme
destruction du passé. »

M. Horkheimer-Th. Adorno,
Dialectique de la raison.

L'histoire est omniprésente dans le discours zapatiste. Référence constante et enjeu central, elle est un des mots essentiels de son vocabulaire, doté d'autant de valeur que celui de dignité. C'est si vrai que, suivant littéralement l'énoncé de nombreux communiqués, il est possible de définir le soulèvement du 1er janvier 1994 comme une révolte de la mémoire, une rébellion contre l'oubli. Il convient donc d'explorer les multiples modalités des références à l'histoire dans les textes zapatistes, pour saisir la complexité et les contradictions d'un discours qui s'inscrit à la confluence de traditions fort différentes. Que peut-il en effet advenir, sous le règne de la postmodernité triomphante, de la rencontre improbable entre une conception indigène de la temporalité et la « science de l'histoire » professée par le matérialisme historique ?

L'histoire comme légitimation de la lutte politique

L'histoire, dans les communiqués de l'Ezln, c'est d'abord l'histoire nationale (*historia patria*). Le recours extrêmement fréquent aux événements majeurs de l'histoire mexicaine permet à l'Ezln de définir ses propres positions et de condamner celles de ses adversaires, à travers les filiations assumées et les refus proclamés. En outre, l'histoire nationale constitue un langage connu de tous les Mexicains, qui suscite une forte identification sociale et manifeste clairement l'appartenance des rebelles chiapanèques à la communauté nationale. Les symboles historico-patriotiques deviennent ainsi les objets d'une dispute entre le parti-État priiste, continuant en théorie à revendiquer sa filiation révolutionnaire, et l'Ezln, soucieux d'une réinterprétation critique et rejetant les pieux récits officiels, « cette histoire ridicule enseignée dans les écoles ».

Dans la mesure où l'un des enjeux de la lutte zapatiste est l'intégration à la nation des peuples indigènes, reconnus dans leurs droits et leurs différences, il n'est pas indifférent de se demander comment s'articulent, dans les textes zapatistes, l'histoire nationale et la destinée spécifique des indigènes du Mexique, d'autant plus que Marcos souligne qu'une nation n'est pas autre chose qu'une « histoire commune » (23 octobre 1998). Un aspect significatif est la mise en œuvre de la thématique des « 500 ans de luttes indigènes ». Cette référence à la situation des peuples indigènes depuis la Conquête est très fréquente, soit pour dénoncer cinq siècles d'«exploitation et de persécution», d'humiliation et de marginalisation, soit pour faire mémoire de la tenace résistance des ancêtres des actuels insurgés. Mais si les allusions génériques aux «500 ans» sont légion, les références à des faits historiques précis mettant en jeu le devenir des peuples indigènes sont au contraire fort rares. Le passé préhispanique n'est qu'à peine mentionné, et de surcroît de manière synthétique et volontiers idéalisée («Nous sommes les habitants originaires de ces terres. Tout nous appartenait avant la venue de la superbe et de l'argent. En droit, tout nous appartient, et jamais auparavant nous n'avons connu de problème pour le partager de manière juste et raisonnable», 12 octobre 1994; ou sous une forme nettement plus nuancée : «Avant même que ceux qui aujourd'hui se mettent à table pour boire notre sang devenu richesse fussent un rêve dans la nuit des temps, nos ancêtres, nous-mêmes, nous nous gouvernions déjà avec raison et justice, et notre monde n'était pas pire que celui dans lequel on nous oblige à mourir», 2 octobre 1994).

Plus surprenant encore, l'histoire du Chiapas ne donne lieu, dans l'ensemble des communiqués, qu'à deux brèves mentions. La première, dans un texte rédigé en 1992, fait allusion à l'acte d'annexion du Chiapas au Mexique en 1824, tandis que la seconde est une évocation de la mort dans le canyon du Sumidero des Indiens Chiapas, révoltés contre la domination espagnole, en 1532. Celle-ci se lit dans un texte qui date du premier mois du soulèvement zapatiste, après quoi

toute référence précise à l'histoire chiapanèque disparaît. En fait, une telle absence est facilement compré-
hensible, car elle s'efforce de priver d'arguments les
adversaires de l'Ezln, qui prétendent lui refuser toute
dimension nationale et l'enfermer dans un cadre régional. Il reste malgré tout étonnant de constater que les
communiqués ne font pas la moindre mention des
grandes révoltes indigènes de l'époque coloniale, telle
la rébellion tzeltale-tzotzile-chole de 1712 (qui s'éten-
dit sur un territoire en partie identique à celui de l'actuel mouvement zapatiste), pas plus que des rébellions
encore plus durables et plus amples du XIXe siècle,
comme la guerre des castes du Yucatán ou la lutte tra-
gique des Yaquis, pour ne mentionner que quelques
exemples. On voit jusqu'où vont les scrupules de ne
mentionner aucun élément d'une histoire partielle,
régionale ou ethnique, qui ne serait pas celle de la
nation tout entière. On chercherait donc en vain dans
les communiqués zapatistes (dont on rappelle qu'ils
sont principalement destinés à des lecteurs métis) une
histoire indigène spécifique, hormis l'invocation générique des « 500 ans de luttes ». Si la part de la culture
indigène dans le discours de l'Ezln est forte, elle s'exprime par des récits et des mythes, associés notamment
au vieil Antonio, et non par des références à des événements historiques particuliers. Il apparaît alors évident que l'histoire nationale l'emporte sur la thématique indigène des 500 ans : autant la première donne
lieu à d'abondantes mentions de faits précis, autant la
seconde reste limitée à une formule synthétique, à
peine explicitée.

La première Déclaration de la Selva Lacandona fournit à cet égard un remarquable symptôme : « Nous sommes le produit de 500 ans de luttes, d'abord contre l'esclavage, dans la guerre d'Indépendance contre l'Espagne dirigée par les insurgés, ensuite pour éviter d'être absorbés par l'expansionnisme nord-américain... » Les « 500 ans de luttes » se suffisent de leur seule énonciation et, aussitôt mentionnés, le fil de l'histoire s'interrompt, saute les trois siècles de l'époque coloniale et ne commence qu'avec l'Indépendance à dérouler chacune des étapes bien connues du devenir national. Dans l'ensemble des communiqués, les allusions à l'époque coloniale sont peu abondantes (une évocation de la conquête de Chetumal, une citation de l'Anonyme indien de Tlatelolco en 1528 et le récit de la non-application des Lois nouvelles par Philippe II), en comparaison du traitement plus détaillé dont bénéficient les luttes de l'Indépendance, de la Réforme et surtout de la Révolution. On ne saurait mieux dire que l'histoire selon le zapatisme se veut une histoire commune à toute la nation mexicaine et, pour cela, autant encline à se référer aux étapes de la construction de l'État national indépendant que peu à l'aise avec les époques antérieures, susceptibles d'engendrer des histoires distinctes et de séparer les groupes ethniques en antagonismes irréconciliables.

De l'aveu même de Marcos, le thème de la résistance séculaire des peuples indigènes, si important pour les communautés, n'a guère été perçu par l'Ezln qu'en 1992, lors de la préparation de la célébration de la mal nommée « découverte de l'Amérique » (RZ). En revanche, à cette date, l'histoire du Mexique était au programme de la formation des membres de l'armée zapatiste

depuis bien longtemps, et sans doute depuis sa fondation. Ainsi, le major Moisés se souvient de ses premières lectures de *El Despertar* « qui parlait de l'histoire
du Mexique », et Marcos explique que son nom – en ce
sens, symbole de l'importance de l'histoire pour
l'Ezln – est celui d'un compagnon mort « qui me don-
nait des cours d'histoire, une personne qui connaissait
de manière encyclopédique l'histoire du Mexique »
(RZ). L'histoire de la formation de l'Ezln – ses origines
marxistes-léninistes et sa fusion ultérieure avec les
réalités indigènes – aide donc à comprendre pourquoi,
dans les communiqués, l'histoire nationale demeure le
cadre dominant au sein duquel s'intègrent les références au destin indigène. Nulle part n'apparaît la tentation d'une histoire séparée des peuples indigènes.
L'objectif est au contraire de restituer aux indigènes,
comme à tous les dominés, leur place dans l'histoire
commune de la nation mexicaine ; il s'agit de « récupérer pour ceux d'en bas l'histoire nationale » (8 août
1997). De fait, il ne peut y avoir d'intelligibilité historique sans une perspective globale, seule à même de
faire apparaître les relations sociales déterminantes et
d'éviter la multiplication d'histoires fragmentées et
sans pertinence. Une histoire des dominés, séparée de
l'histoire globale, risquerait fort de n'être, pour eux,
qu'une manière de ghetto doré, rendant impossibles
tant la compréhension de leur oppression passée que
la recherche d'un futur meilleur.

Au-delà du lien possible avec le processus formatif
de l'Ezln, la relation entre l'histoire nationale et les
luttes indigènes correspond parfaitement au projet de
nation défendu par les zapatistes. En effet, la lutte pour

la reconnaissance des droits et de l'autonomie des peuples indigènes est destinée à permettre leur pleine intégration à la communauté mexicaine. Il ne s'agit pas seulement de « solder les comptes de l'histoire » en réparant les injustices subies par les indigènes, car c'est ici le destin de la nation tout entière qui est en jeu. La part indigène, reconnue dans ses droits, sa culture et son histoire, est indispensable à l'équilibre et à la solidité de l'organisme national : « Aujourd'hui, avec le cœur indigène qui est la digne racine de la nation mexicaine, avec les indigènes, un pays nouveau et meilleur est nécessaire et possible. Sans eux, il n'existe aucun futur comme nation » (août 1998). Étant les premiers habitants de ces terres, les indigènes sont à la fois la racine et la base de la nation, conditions de sa stabilité. Grâce à ces métaphores, la contradiction entre histoire nationale et lutte indigène parvient à sa résolution. La juste relation entre les deux perspectives impose de conserver le caractère englobant de l'histoire nationale, mais les peuples indigènes trouvent dans leur histoire ancestrale la dignité qui fait d'eux le fondement et la partie vitale de la nation.

Pour analyser les références aux faits historiques dans les communiqués et la relation entre passé et présent qu'elles déterminent, il faut prêter attention à une formulation très fréquente qui met en parallèle les événements passés et la situation présente. Ce procédé suggère que l'histoire se répète dans l'actualité, que l'hier et l'aujourd'hui se reflètent comme dans un miroir. Toutes les étapes du passé mexicain donnent lieu à un tel parallélisme, aussi bien la Conquête (« Aujourd'hui, la persécution des conquistadores contre les indigènes se répète... Dans le gouvernement suprême vivent maintenant les envahisseurs modernes de nos terres », 12 octobre 1995) que l'Indépendance (« Nous sommes ceux-là mêmes qui ont bataillé contre la conquête espagnole, ceux qui ont lutté avec Hidalgo, Morelos et Guerrero », 15 septembre 1994) ; et on notera au passage qu'un seul texte établit une relation avec un événement international : une lettre adressée au peuple des États-Unis, en septembre 1995, compare le conflit du Chiapas et la guerre du Vietnam pour conclure que le gouvernement américain ne doit pas s'impliquer dans le conflit actuel en soutenant les autorités mexicaines. Mais c'est évidemment la Révolution mexicaine qui se prête le mieux à cette logique comparative. Ainsi, lorsque les 1 111 délégués zapatistes arrivent à Mexico, on ne sait plus très bien s'il s'agit de 1914 ou de 1997 ; et Marcos, dans sa somptueuse lettre à Zapata, peut conclure : « Cela se passait en 1914. Aujourd'hui, en 1997, l'histoire n'a pas changé » (10 avril 1997). Le procédé s'applique aussi, de manière polémique, au gouvernement : tandis que les rebelles identifient Zedillo à Carranza (en particulier lorsque la contre-proposition gouvernementale en matière de droits indigènes est comparée à la loi agraire promulguée par ce dernier en 1915), les hommes du pouvoir s'efforcent, eux, de faire du même Zedillo « un nouveau Madero » (8 août 1997). Puis, lors de la marche sur Mexico, c'est Marcos lui-même qui assimile Fox à Madero (« Je vois que Fox veut faire la même chose que Madero : qu'après la dictature, rien ne change », 7 mars 1901). La comparaison, remarquablement adaptée, est à la fois plutôt bienveillante, en ce sens qu'elle reconnaît la fin de la dictature, et lourde d'avertissement, puisqu'elle augure, après un possible moment d'accord, une divergence politique aussi marquée qu'entre Zapata et Madero. Enfin, le parallèle peut prendre un tour sinistre, notamment lorsque le souvenir de Chinameca (où Zapata fut assassiné, le 10 avril 1919) est ressuscité par l'opération militaire de février 1995. Pour l'occasion, l'humour du sous-commandant se teinte de noir, pour proposer au gouvernement une rencontre ainsi programmée : « a) Date : 10 avril 1995, dans l'après-midi. b) Lieu : Hacienda de Chinameca, Morelos. c) Point unique de l'ordre du jour : Histoire du Mexique » (4 avril 1995). De si fréquentes présentations des faits de la Révolution se comprennent aisément, si l'on considère qu'une part essentielle de l'identité politique revendiquée par l'Ezln consiste à affirmer que les zapatistes de 1994 et ceux de 1910-1919 sont les mêmes : « Comme en 1919, nous, les zapatistes devons payer de notre sang le prix de notre cri "Terre et Liberté !" Comme en 1919, le gouvernement suprême nous tue pour éteindre notre rébellion » (10 avril 1994).

Le bénéfice d'un tel procédé est fort clair : il légitime la lutte zapatiste à travers son identification avec les héros de l'histoire nationale et disqualifie ses adversaires, assimilés aux antihéros de celle-ci. Jamais il n'apparaît aussi clairement que dans le choix de l'itinéraire de la phase ultime de la Marche pour la dignité indigène, qui égrène les lieux emblématiques du général Zapata : Anecuilco, son village natal, Tzaltizapán, son quartier général, où la délégation de l'Ezln ratifie le plan de Ayala de 1911, Milpa Alta et Xochimilco où Zapata et Villa se réunirent avant de faire leur entrée dans la capitale, par la route à nouveau parcourue le 11 mars 2001. Mais, à l'ombre des statues de Zapata érigées par le priisme, l'identification, pour une fois, se fait difficile, risque de paraître irrespectueuse et oblige à déjouer humblement quelques pièges : «Nous sommes venus jusqu'ici non pour emporter le nom de Zapata loin du lieu où il est né et où il vivra toujours; nous sommes venus jusqu'ici non pour usurper une histoire qui appartient à tous (...) Nous sommes venus pour rendre honneur, comme c'est une loi que les enfants et les petits-enfants rendent honneur à leurs aînés, quand ils sont comme Emiliano Zapata» (8 mars 2001). En ces lieux, trop chargés et trop disputés, la référence à l'histoire peine à secouer la torpeur commémorative et la froideur sépulcrale du musée : «Mon général Zapata doit décider s'il veut être ici, au musée, ou dans la rue et dans les champs (...) Zapata n'est pas mort le 10 avril; il a changé de visage et maintenant la question est de savoir si son visage est celui du musée, qui ne parle pas, qui ne ressent rien, ou si son visage est le vôtre.»

Plus généralement, la superposition des réalités présentes et des faits historiques risque de donner crédit à l'idée d'une histoire sans issue. De fait, de nombreux communiqués présentent l'histoire comme la répétition du même, en usant de formules telles que : «l'histoire, fatiguée d'avancer, se répète» ou «ne doutez pas que le cauchemar se répète» (25 avril 1997; 7 septembre 1996). Le vieil Antonio semble partager cette perception : «La lutte entre le puissant et ceux d'en bas se répète sans cesse... Le puissant ne fait que changer de nom selon les cabrioles de l'histoire» (13 décembre 1997). Il faut donc s'interroger sur cette vision d'une histoire sans changement, qui paraît nier l'idée même de l'histoire et semble s'apparenter dangereusement au présent perpétuel que le néolibéralisme s'efforce d'imposer à l'humanité, ainsi qu'on le dira plus avant. Cette insistance à présenter une histoire répétitive peut s'analyser de deux manières complémentaires. D'une part, elle est la conséquence des parallèles déjà mentionnés qui, tirant parti de l'indéniable permanence de l'oppression et des inégalités sociales, utilisent les faits historiques pour conférer une légitimité aux actes présents. Dans cette logique, plus on peut identifier exactement la situation du passé et celle du présent, plus l'effet de légitimation est efficace. On perçoit ainsi la dimension rhétorique inévitable du procédé.

C'est pourquoi, *a contrario*, dans des témoignages moins formels que les communiqués, comme les interviews, les zapatistes font preuve d'une conscience claire des transformations historiques et même des différences entre les conditions présentes et les événements passés auxquels ils s'identifient le plus facilement. Ainsi, les membres du CCRI n'hésitent pas à indiquer que les lois agraires revendiquées par l'Ezln diffèrent de celles de Zapata (car elles visent une répartition des terres plus collective qu'individuelle; 3 février 1994). Et s'il est évident que le lieu de réunion de la Convention nationale démocratique est nommé Aguascalientes en l'honneur à la Convention révolutionnaire de 1914, tenue dans la ville du même nom, Marcos ne se contente pas d'utiliser cette référence pour accroître le prestige de la CND, il analyse aussi de manière critique les échecs de 1914 pour suggérer comment la réunion de 1994 devrait s'efforcer d'atteindre ses objectifs. Il ne faut donc pas confondre une véritable analyse historique, qui reconnaît les différences et les changements incessants, avec le geste rhétorique qui, constatant la persistance de la domination et utilisant l'histoire pour conférer une dignité aux luttes actuelles, insiste sur la répétition présente des réalités passées.

D'autre part, on peut aussi faire l'hypothèse d'une relation entre cette histoire qui se répète et une conception cyclique du temps historique, probablement encore partagée au sein des communautés indigènes. De fait, de nombreuses sociétés rurales traditionnelles élaborent une idée du temps basée sur l'expérience agricole et par conséquent sensible à ce qui revient plus qu'à ce qui passe. Cette conception est bien attestée dans le monde préhispanique, comme l'indique un proverbe nahuatl reproduit par Bernardino de Sahagún dans son *Códice florentino* : « Ce qui se faisait il y a très longtemps et ne se fait plus, se fera à nouveau ; à nouveau, les choses seront ainsi. » Elle se manifeste aussi dans les rébellions indigènes de l'époque coloniale et du XIXᵉ siècle, nourries bien souvent du désir de recréer dans le futur un état de perfection associé à un passé idéalisé. Alors, « la majorité des mouvements religieux indigènes étaient régis par le rejet des conditions oppressives du présent et par l'aspiration à restaurer l'ancien temps perdu ou à créer une communauté inspirée par la mémoire idéalisée du passé. Le présent était un temps abominable que l'on rejetait et le futur auquel on aspirait était un temps qui devait répéter le passé idéal » (E. Florescano). Sans supposer nécessairement la permanence jusqu'à aujourd'hui d'une conception stricte-

ment cyclique du temps (qui est en effet susceptible de
s'articuler avec la perception de certaines évolutions
créatrices, voire avec l'idée du temps linéaire implantée par la pastorale chrétienne), il n'est pas impossible
que, dans le monde indigène actuel, les événements
réels soient perçus en relation avec un temps qui
s'écoule mais avec peine, un temps dans lequel le
même revient volontiers, un long et unique présent
dans lequel se confondent des faits lointains et d'autres
immédiats ou encore à venir.

Marcos raconte comment, lors de ses premières
années dans la Selva, au moment d'enseigner l'histoire
du Mexique (car les premiers contacts indigènes de
l'Ezln «réclamaient ce qu'ils appelaient la parole politique : l'histoire. L'histoire de ce pays, l'histoire de la
lutte»), il découvre que les indigènes «ont un usage du
temps très curieux : on ne sait pas de quelle époque ils
te parlent; ils peuvent te raconter une histoire qui peut
aussi bien s'être passée il y a une semaine, il y a 500 ans
ou quand le monde a commencé» (V). Une telle
conception se retrouve dans les communiqués, qui
associent souvent le temps historique et le temps
mythique. Le cas le plus évident est l'identification de
Zapata avec Votán, connu comme le troisième jour du
calendrier tzeltal et comme figure tutélaire, «cœur et
protecteur du peuple», ce qui permet d'attribuer au
héros révolutionnaire non seulement une capacité à
survivre à sa propre mort, mais aussi une origine chiapanèque («Ils disaient que Zapata était chiapanèque,
qu'il était né ici et parti ensuite ailleurs et que c'est pour
cela qu'ils l'avaient tué, parce qu'il était parti», V), et
même cinq siècles d'existence antérieure («Votán

Zapata, timide feu qui dans notre mort a vécu 501 années», 10 avril 1994). C'est pourquoi, quand Marcos raconte la vie de Zapata au vieil Antonio, celui-ci se rit d'une si pauvre version et commence à relater, depuis l'origine du monde, la véritable histoire de Ik'al et de Votán, dont Zapata n'est à ses yeux qu'une manifestation particulière (13 décembre 1994). La figure de Votán Zapata, principe atemporel successivement incarné dans différents héros historiques, est la claire expression d'un temps mythique selon lequel le même revient toujours sous des apparences distinctes : «Nom sans nom, Votán Zapata a regardé en Miguel [Hidalgo], a cheminé en José María [Morelos], Vicente [Guerrero] a été, s'est nommé en Benito [Juárez], a volé en Pajarito, chevauché en Emiliano [Zapata] et crié en Francisco [Villa], s'est vêtu en Pedro» (10 avril 1994). Votán Zapata synthétise ainsi, à lui seul, toute l'histoire mexicaine (jusqu'au néozapatisme, évoqué ici par le nom du sous-commandant Pedro).

Parvenus à ce point, il convient de souligner une possible contradiction entre cette conception tendanciellement cyclique du temps historique, selon laquelle le présent répète le passé, et l'espérance qui justifie le soulèvement zapatiste et qui suppose la possibilité d'un futur différent. En effet, ce serait une autolimitation bien étrange de la part d'un mouvement de transformation sociale que de s'enfermer dans l'idée d'un temps cyclique – ce qui nous obligerait à concevoir une rébellion conservatrice, cherchant à restaurer un état de perfection originel. On reviendra plus loin sur cette contradiction, mais on peut déjà remarquer que la perception d'une histoire qui se répète ne s'étend pas à la totalité du discours historique zapatiste. Son territoire est limité et elle doit s'articuler à d'autres visions de l'histoire. Ainsi, s'il existe des « leçons de l'histoire » qui permettent d'apprendre du passé, c'est précisément parce qu'on peut éviter de le répéter. Il est également évident que l'action politique vise à sortir du cercle des retours du passé. Ainsi, s'agissant de l'assassinat du chef militaire, il convient de « faire tout ce qui est possible pour que l'histoire ne se répète pas » (RZ) et, de fait, « Guadalupe Tepeyac [lieu de l'embuscade de 1995] ne fut pas Chinameca » (20 février 1995).

Inaugurant la Rencontre continentale américaine, Marcos esquisse une mémoire historique du continent et rappelle les rêves qui lui ont donné forme, depuis Simon Bolivar jusqu'à Flores Magón et Che Guevara. Ces figures donnent une légitimité historique à l'événement présent, dès lors que chacun de ces rêves « se répète ici », à La Realidad. Mais, en cette occasion, le sous-commandant impose des limites à l'idée d'une histoire qui ne change pas, en soulignant que la vision de ces héros se reproduit « égale mais différente » et que le rêve d'aujourd'hui est « rupture et continuité » avec ceux qu'ils formulèrent (4 avril 196). C'est pourquoi il peut affirmer – rectifiant une formule déjà citée – « nous sommes et nous ne sommes pas les mêmes », pour conclure finalement : « Nous sommes l'histoire obstinée *qui se répète pour ne plus se répéter*, le regard vers l'arrière pour pouvoir cheminer vers l'avant. » Cette formule heureuse s'efforce de dépasser la contradiction déjà signalée, en reconnaissant que l'histoire ne saurait être qu'un mélange de déjà connu et d'inédit, et surtout en articulant les ressassements qu'elle semble

bien souvent nous offrir et la perspective d'une transformation et d'une nouveauté que la lutte politique
rend possible. Ainsi, le quatrième message, prononcé
lorsque la Marche pour la dignité indigène s'apprête à
emprunter la route de Zapata vers Mexico, précise :
« Nous cheminerons alors le chemin de l'histoire, mais
nous ne la répéterons pas. Nous sommes d'avant, oui,
mais nous sommes nouveaux » (7 mars 2001). Au total,
coexistent dans les communiqués différentes formes de
temps, notamment un temps en partie cyclique qui se
répète et un autre capable d'assumer les processus passés pour se développer vers un futur neuf. Il convient
de ne pas oublier le second, quand bien même le premier bénéficie d'une présence insistante, du fait de la
légitimité qu'il donne à l'action politique, puisque
rendre l'histoire présente signifie aussi transformer le
présent en histoire et attribuer à la lutte d'aujourd'hui
la dignité même dont jouissent les faits glorieux d'hier.

Cette tendance à investir l'Ezln d'une dimension historique conduit, dans de nombreux communiqués, à
affirmer avec certitude que les rebelles ont l'histoire
avec eux et qu'elle constitue une part déterminante de
leur force : « de notre côté, se trouvent l'autorité morale
et la raison historique » (11 mai 1995) ; « nous n'avons
pas d'autres armes que celles de la dignité, de la raison
et de l'histoire » (6 décembre 1996). De telles affirmations laissent déjà transparaître l'idée d'un jugement de
l'histoire, ou du moins d'une histoire entendue comme
instance éthique, capable de déterminer qui est animé
par la raison et le droit. Outre le jugement de l'histoire,
la raison historique semble aussi se référer à un « droit
historique », qui permet d'affirmer que les indigènes,

étant les peuples originaires des terres américaines, possèdent un droit sur elles (1ᵉʳ mars 1998 ; il ne serait cependant pas inutile de rappeler à cet égard de trop nombreux exemples qui montrent combien la revendication d'un droit fondé sur une antériorité d'occupation peut s'avérer lourde de menaces guerrières). De manière similaire, il est indiqué que le Mexique mérite « par droit historique » démocratie, liberté et justice, sans qu'on sache bien quel pays ou quel peuple pourrait ne pas mériter un tel destin (mais il vrai que le contexte, évoquant les dettes contractées par les États-Unis à l'égard du Mexique à la suite des conflits du XIXᵉ siècle, suggère que ce droit est en l'occurrence invoqué contre une nouvelle ingérence nord-américaine). Si, enfin, on ajoute à ces observations la fréquence des métaphores classiques de l'« accouchement de l'histoire » ou de la « roue de l'histoire », il apparaît que l'Ezln se plaît à se camper lui-même sur la scène de l'histoire, s'identifiant presque à cette dernière : « nous sommes l'histoire... ». Même le discours de la commandante Esther, à la tribune du Congrès, ne résistera pas à entacher sa noble grandeur d'une telle auto-identification, en affirmant que sa « parole est légitime et juste, une parole qui a, de son côté, la raison, l'histoire, la vérité et la justice » (28 mars 2001).

Cette relation se manifeste plus nettement encore dans les allusions à un jugement de l'histoire. Le texte déjà mentionné avertit le grand voisin du Nord que « l'histoire, implacable, saura annoter de quel côté se sont placés le peuple et le gouvernement des États-Unis ». La référence au jugement de l'histoire suppose l'anticipation d'une sentence rétrospective : elle

convoque le futur pour rendre son avis sur notre présent, devenu passé. Ainsi, dans une lettre au président
de la République, dans laquelle Marcos s'abrite derrière les paroles de Juárez à Maximilien («... la terrible
sentence de l'histoire. Elle nous jugera») pour lancer à
Zedillo : «Nous ne craignons ni la mort ni le jugement
de l'histoire» (3 décembre 1994). Le jugement de l'histoire apparaît également sous la forme d'un livre métaphorique, semblable à celui du Jugement dernier selon
l'Apocalypse de Jean : «Tout cela [la trahison du 9
février 1995], Monsieur Zedillo, restera gravé sur une
page de l'histoire mexicaine, de même que demeurent
dans les pages de notre histoire, Hidalgo, Allende,
Morelos et d'autres révolutionnaires comme Zapata et
Villa» (10 février 1995). Pourtant, passant du registre
métaphorique aux livres réels, il faut bien reconnaître
que la seule chose à laquelle on pourrait attribuer une
quelconque réalité en matière de «jugement de l'histoire», ce sont justement les livres qui s'écriront
demain ou après-demain. Mais une telle perspective
est fort risquée puisque, comme le rappelle Marcos lui-
même, «l'histoire est écrite par les vainqueurs» (février
2001). C'est pourquoi «si l'Histoire devait être notre
juge, elle célébrerait indéfiniment le fait accompli. Son
sinistre tribunal serait acquis d'avance au camp des
vainqueurs, dont elle perpétuerait l'arrogante domination» (D. Bensaïd).

Comment alors invoquer le jugement de l'histoire au
profit des opprimés ? Il semble bien que cela suppose
implicitement l'idée d'une fin de l'histoire inéluctable
et heureuse, telle que la postule le marxisme orthodoxe. En effet, c'est seulement depuis son point final

que pourrait s'écrire, telle une sentence définitive, ce qui serait L'Histoire et non pas seulement *une* histoire, version provisoire résultant d'une configuration particulière d'intérêts, en un moment singulier d'une évolution permanente. En ce sens, il est à craindre que l'idée d'un jugement de l'histoire – invention propre à la conception moderne de l'histoire mise au point par les Lumières – ait partie liée avec l'image de sa fin désirée, immobilisant le destin de l'humanité en une parfaite révélation de la justice et de la vérité. C'est seulement depuis ce moment idéal (et inaccessible) que pourrait se formuler une Histoire sans point de vue particulier, tandis que les hommes de chair ne sauraient écrire, depuis leurs positions singulières, qu'une histoire parmi beaucoup d'autres possibles (ce qui implique que personne ne peut prétendre parler au nom de l'Histoire).

Même si l'analyse pourra paraître excessive, il faut bien admettre que de nombreux communiqués se réfèrent à l'histoire comme à une entité personnifiée, ou du moins comme à une instance supérieure aux hommes réels, une autorité éthique capable de dire, sinon de réaliser, le Juste. Déjà dénoncée par Engels dans *La Sainte Famille* («L'histoire ne fait rien, elle ne possède pas de richesse énorme, elle ne livre pas de combat! C'est au contraire l'homme, l'homme réel et vivant qui fait tout cela, possède ces richesses et livre ces combats. Ce n'est pas l'Histoire qui utilise l'homme pour réaliser, comme si elle était une personne à part, ses fins à elle. L'histoire n'est que l'activité de l'homme poursuivant ses propres objectifs»), une telle fiction pourrait bien être le repère où survit une conception fétichiste de l'Histoire, qui ne serait rien d'autre qu'une version profane de la Providence divine ou un double de l'allégorie de la Justice se réalisant dans l'histoire humaine. En effet, «l'Histoire qui *fait* quelque chose, c'est encore et toujours une histoire sacrée, censée agir à la place des hommes et dans leur dos... L'histoire profane n'a pas de fins propres» (D. Bensaïd). Si, de surcroît, on se rappelle la tendance, dans les textes zapatistes, à s'identifier avec l'histoire, le risque s'amplifie encore, puisqu'un point de vue qui ne saurait être que particulier tend à acquérir la dignité d'une allégorie transcendante et suprahumaine. Il est facile de comprendre que s'imposent ici les nécessités d'une rhétorique fortement articulée à la lutte politique et qui convoque l'histoire comme une instance de légitimation. Ainsi, la parole-action des communiqués connaît ses petites misères autant que ses splendeurs : elle court le risque de reproduire la vieille conception fétichiste de l'histoire, suprahumaine et enrôlée au service de ceux qui s'identifient à elle ; mais elle s'efforce aussi à une profonde rénovation de la conscience historique, ainsi qu'on va le voir maintenant.

L'histoire face au présent perpétuel néolibéral

L'insistance sur la nécessité de la conscience historique apparaît clairement si l'on se souvient que le soulèvement du 1er janvier se définit comme «une guerre contre l'oubli, une lutte pour la mémoire». Il n'existe guère de thème relatif à l'histoire plus fréquent que celui-ci : «La guerre commencée le 1er janvier 1994 fut

une guerre pour nous faire écouter, une guerre pour la
parole, une guerre contre l'oubli, une guerre pour la
mémoire... Notre lutte est pour l'histoire et le mauvais
gouvernement propose l'oubli... Nous luttons pour parler contre l'oubli, contre la mort, pour la mémoire et
pour la vie. Nous luttons par crainte de mourir la mort
de l'oubli» (1er janvier 1996). Ainsi se formulent d'un
même mot la cause et l'objectif du mouvement zapatiste, défi collectif autant que motivation individuelle de
ses membres, comme le suggèrent les paroles émou-
vantes et dignes que Marcos prête à la muette photo-
graphie d'un compagnon mort dans les combats d'Ocosingo : «Je suis Álvaro, je suis indigène, je suis soldat,
j'ai pris les armes contre l'oubli» (12 mai 1995).

Contre l'oubli, les rebelles possèdent l'arme de la
mémoire et, avec elle, ils tentent de prendre leur place
dans l'histoire. Le soulèvement du 1er janvier avait un
objectif militaire et un autre symbolique : «La dernière
nuit de l'année 1993, nous sommes sortis d'ici, des
montagnes tzotziles du Sud-Est mexicain, pour prendre
la ville de San Cristóbal et pour prendre notre place
dans l'histoire du Mexique» (12 juin 1996). Cette métaphore n'a certes pas pour objectif la gloire d'une reconnaissance dans les livres d'histoire («Nous n'avons pas
demandé une place spéciale dans l'histoire, nous ne
luttons pas pour de l'argent, pour une fonction politique
ou pour quelques lignes dans les livres d'histoire politique», 15 mai 1994). Son usage si fréquent pourrait
plutôt s'expliquer dans la mesure où elle spatialise le
temps et donne à l'abstraction historique une dimension concrète et tangible («Toujours aussi grande est
la pauvreté de nos terres et toujours aussi petite notre

place dans l'histoire du Mexique», 14 février 1994).
Tout en faisant allusion aux nécessités indispensables
à l'existence (la terre, l'espace), de telles formules
réclament principalement la reconnaissance des
peuples indigènes comme partie intégrante de la nation
mexicaine (l'histoire étant, encore et toujours, synonyme de nation).

La dualité mémoire/oubli constitue par conséquent
une des oppositions essentielles structurant le vocabulaire zapatiste, ce qui la met en relation étroite
avec d'autres couples comme vie/mort, paix/guerre,
vérité/mensonge, parole/silence («Deux camps : d'un
côté, l'oubli, la guerre, la mort; de l'autre côté, la
mémoire, la paix, la vie», 8 février 1996). L'oubli est
également associé à la marginalisation, l'humiliation et
le mépris soufferts par les indigènes. Quant à la
mémoire, elle est associée aux réalités matérielles
indispensables à la stabilité de l'existence humaine,
comme la terre et la maison («Notre lutte est pour un
toit digne et le gouvernement détruit notre maison et
notre histoire... Ils veulent nous ôter la terre pour qu'il
n'y ait plus de sol sous nos pas. Ils veulent nous ôter
l'histoire pour que l'oubli tue notre parole», 1er janvier
1996). L'histoire, fondation et racine, étroitement associée aux ancêtres, est le sol ferme qui permet aux
hommes d'avancer, tandis que l'oubli est un précipice
dans lequel ils risquent de tomber : «Nous importe le
drapeau qui déclare le fondement indigène d'une
nation jusqu'ici condamnée à la désespérance... nous
importe le sol qui nous soutient dans l'histoire et évite
que nous tombions dans l'oubli de nous-mêmes»
(12 octobre 1995). Enfin, l'histoire est en étroite rela-

tion avec cette notion fondamentale, à la fois matérielle et symbolique, qui définit la possibilité d'une existence véritablement humaine : la dignité. «La dignité a à voir avec l'histoire» (octobre 1997) ; et ces deux principes sont aussi intimement imbriqués dans la lutte zapatiste qu'ils sont déniés par «les hommes gris qui, depuis le pouvoir, manigancent la vente de la dignité et l'oubli de l'histoire» (19 septembre 1996).

Les communiqués ne semblent guère se soucier de distinguer la mémoire, réalité sociale immédiate, plus limitée dans sa profondeur temporelle et souvent encline à mêler données réelles et mythiques, et l'histoire qui, tout en nourrissant (et se nourrissant de) la mémoire collective, s'efforce de surmonter les limites de celle-ci et d'en critiquer les défaillances. Dans la majorité des cas, les termes histoire et mémoire semblent utilisés comme des synonymes. Mais cette assimilation – liée à la transmission orale de la mémoire dans les communautés indigènes – se réalise moins par une limitation de la perspective historique à la seule dimension mémorielle que par une amplification de la notion de mémoire. Ainsi, est attribuée à la mémoire une capacité à embrasser passé, présent et futur, c'est-à-dire justement ce qui caractérise une vision historique au sens plein du terme («La mémoire et son insistance à fonder et à fondre l'humanité dans le passé, le présent et le futur», mars 1998). De même, Marcos indique, à l'occasion du 25e anniversaire du coup d'État militaire en Argentine, «nos plus grands ancêtres nous ont enseigné que la célébration de la mémoire est aussi une célébration de l'avenir. Ils nous ont dit que la mémoire n'est pas une manière de tourner la tête et le cœur vers le passé, un souvenir stérile qui provoque rires ou larmes (...) La mémoire vise toujours demain et c'est ce paradoxe qui permet que, dans ce demain, les cauchemars ne se répètent pas et que les joies, qui sont aussi présentes dans l'inventaire de la mémoire collective, soient neuves» (24 mars 2001).

Ainsi, la mémoire zapatiste apparaît comme un mélange de plusieurs dimensions. Elle inclut l'histoire (principalement l'histoire du Mexique, enseignée par les métis), la mémoire de faits historiques transmise oralement (par exemple lorsque le major Moisés raconte l'exploitation de ses parents dans les *fincas*) et des traditions relatives à l'origine du monde et à ce «temps sans temps [d'où] la parole vient à nos voix» que les récits du vieil Antonio glissent dans la forme écrite. Il s'agit d'une mémoire active et combattante, qui influence l'action et promeut la lutte, car cette mémoire «immémoriale», liée au temps d'avant le temps, est invoquée, tout comme le passé historique, comme légitimation de la parole et de l'action rebelles. À travers elle, ce sont les ancêtres, présents dans la mémoire des vivants, qui réclament respect et justice et appellent à la résistance : «Nous avons parlé avec nous-mêmes, nous avons regardé jusqu'au-dedans de nous et nous avons regardé notre histoire : nous avons vu nos grands-parents souffrir et lutter, nous avons vu nos ancêtres lutter, nous avons vu nos parents avec la colère entre les mains... et les morts ont vu que nous étions neufs encore et ils nous ont appelés de nouveau à la dignité, à la lutte» (1er février 1994). La mémoire peut aussi s'incarner dans les montagnes où vivent les morts, ou encore dans les «coffrets parlants», objets

traditionnels de Los Altos, ressuscités pour transmettre, non plus la parole des saints comme autrefois,
mais celle, désormais, de l'histoire et de la dignité («La
montagne nous a parlé de prendre les armes pour avoir
ainsi une voix... Elle nous a parlé de garder notre passé
pour avoir ainsi un lendemain. Dans la montagne
vivent les morts, nos morts... Des coffrets qui parlent
nous ont raconté une histoire différente qui vient d'hier
et vise demain », 27 juillet 1996). Finalement, les zapatistes occupent une position paradoxale : ils s'inscrivent dans une mémoire profonde, qui traverse les
siècles de l'histoire pour parvenir jusqu'au «temps sans
temps» des ancêtres et du mythe ; et en même temps
ils sont les oubliés, les victimes de l'amnésie imposée
par les dominants. Ils sont à la fois ceux qui entretien-
nent les liens les plus étroits avec la mémoire et ceux
qui souffrent le plus de l'oubli. Mémoire occultée,
racine déniée, ils sont «le cœur oublié de la patrie»,
dont la nation peut cependant encore se souvenir pour
se rappeler d'elle-même (« parlant par son cœur indien,
la patrie se maintient digne et avec mémoire », 1ᵉʳ janvier 1996). C'est bien pourquoi la lutte zapatiste est une
révolte contre l'oubli et une rébellion pour la mémoire.

Très souvent, l'oubli est mis en relation avec la situation coloniale et postcoloniale dont souffrent les indigènes. Il est à la fois la conséquence et la cause – et
pour cela presque un synonyme – de l'humiliation et
de l'exploitation qui leur furent imposées jusqu'à
aujourd'hui. Dans cette perspective, l'oubli est le résultat de la domination ethnique et son principe s'enracine dans l'histoire de la nation mexicaine. Mais il
existe une autre lecture, esquissée durant les prépara-

tifs de la Rencontre intercontinentale de 1996 et pleinement développée dans les amples communiqués de février-mars 1998 (sans aucun doute les plus importants et les plus approfondis quant à la problématique historique). Ainsi, le texte intitulé *Le Dialogue de San Andrés : entre les oublis d'en haut et la mémoire d'en bas* indique clairement, bien qu'il ait pour objet l'analyse de la non-application gouvernementale des accords de San Andrés, que l'oubli n'est pas seulement la conséquence de la domination subie par les indigènes. C'est un phénomène dont souffrent tous les hommes immergés dans la mondialisation capitaliste. En effet, le principal facteur d'amnésie a un nom – « du côté de l'oubli, se trouvent les multiples forces du Marché » –, de sorte que l'on peut définir « la grande bataille de la fin du XXe siècle : le Marché contre l'Histoire ». Le thème de l'oubli s'amplifie alors et s'ouvre à une analyse beaucoup plus générale des temps historiques : « D'un côté, se trouve le Marché, la nouvelle bête sacrée. L'argent et sa conception du temps qui nie l'hier et le demain. De l'autre côté, se trouve l'Histoire (celle que le Pouvoir, toujours, oublie). La Mémoire et son insistance à fonder et fondre l'humanité dans le passé, le présent et le futur. Dans le monde de la "modernité", le culte du présent est arme et bouclier. L'"aujourd'hui" est le nouvel autel sur lequel sont sacrifiés principes, loyautés, convictions, pudeurs, dignités, mémoires et vérités. Le passé n'est plus, pour les technocrates que notre pays supporte en guise de gouvernants, une référence à assimiler et sur laquelle croître. Le futur ne peut être, pour ces professionnels de l'oubli, rien de plus qu'un allongement temporel du présent. Pour vaincre l'Histoire, on lui nie tout horizon qui aille au-delà de l'"ici et maintenant" néolibéral. Il n'y a ni "avant" ni "après", seulement l'aujourd'hui. La recherche de l'éternité est finalement satisfaite : le monde de l'argent n'est pas seulement le meilleur des mondes possibles, il est l'unique nécessaire» (mars 1998). Dans le monde néolibéral, c'est-à-dire sous le règne autocratique de la marchandise, «l'aujourd'hui est le nouveau tyran» auquel «on rend hommage et obéissance» et qui, pour mieux assurer sa domination, fait disparaître le passé dans l'oubli et efface toute perspective d'un futur alternatif (février 1998). L'expérience du passé et l'espérance de l'avenir – non pas absentes mais chaque fois plus à l'étroit et déviées en trompe-l'œil – s'effacent peu à peu au profit d'un *omniprésent* qui se manifeste de mille manières, par la dictature des temps brefs et des rythmes syncopés, par l'idéal d'immédiateté et d'instantanéité, ainsi que par la dénégation du temps qui passe et la subséquente interdiction du vieillissement décrétée par les médias. Un éternel présent s'impose, fait d'instants éphémères qui miroitent du prestige d'une illusoire nouveauté mais ne font que substituer, toujours plus rapidement, le même au même. Dans le monde moderne, le temps devient l'une des formes les plus sensibles de l'oppression, imposée à des êtres pressés et stressés, soumis à la «tyrannie des horloges» (N. Elias) et à la compulsion de connaître l'heure qu'il est. Ainsi s'inscrivent impitoyablement, dans les nerfs tourmentés des individus, les lois exacerbées de la rentabilité et leur lutte acharnée contre le paramètre temporel : maximalisation du temps disponible et réduction de la durée de chaque opération, flux tendus et rotation accélérée des stocks produits, rapidité des mouvements de capitaux et profits éclairs de la spéculation. La marchandisation du monde est une guerre contre le temps ; elle se mesure à lui, pour le réduire sans cesse davantage et en triompher. Le présent perpétuel n'est donc que l'autre face de cette vertu éminemment capitaliste qu'est la *vitesse*. Entre eux, existe un lien nécessaire, permettant de masquer l'immobilisation dans le présent éternel par une accélération des rythmes d'activité, et d'offrir un reliquat d'expérience du temps quand toute vision du devenir historique a été abolie («seul le triomphe universel du rythme de production et de reproduction mécanique garantit que rien ne change, que rien de surprenant ne se produit», Th. Adorno-M. Horkheimer). C'est ainsi que la tyrannie du présent perpétuel et le culte de la vitesse – conjugués pour détruire le temps – conviennent parfaitement à la logique économique de la marchandisation et du profit, et aux discours amnésiques et myopes qui lui correspondent.

Dans l'idolâtrie de l'«aujourd'hui» tout-puissant, l'oubli trouve ses sources les plus claires, et l'histoire les raisons les plus profondes de sa négation. La domination néolibérale tend d'un même mouvement à détruire la conscience historique du passé et à fermer les accès au futur. Il n'y a plus de futur, hormis dans le mensonge ou la répétition de la domination présente («La superbe avait opté pour accrocher son futur au mensonge du premier monde [mais] le demain saliniste ne faisait aucune place aux indigènes», 30 juin 1996). Les dominants croient et font croire en leur éternité : «Le Pouvoir se regarde dans le miroir et se découvre éternel et tout-puissant» (9 janvier 1996). Cette analyse, particulièrement insistante au cours de l'année 1996, donne lieu à de multiples variations, depuis un scénario shakespearien – qui glisse Salinas dans les habits de Macbeth et fait des rebelles du 1er janvier la forêt qui s'avance vers son palais pour mettre fin à son illusoire puissance –, jusqu'à des allusions bibliques qui prêtent au Pouvoir les paroles de la divinité judéo-chrétienne : «Je suis celui qui est, la répétition éternelle», ou encore : «Je suis la meilleure des religions, je synthétise le nouveau dieu et son culte, le mystère et l'acte de foi, le prêtre et le fidèle, l'image sacrée et le temple; je n'ai aucun besoin d'autrui, pas même pour me rendre un culte; pour cela, je dispose du miroir que présentent les statistiques de mon triomphe» (mai 1996). Mais, en cette affaire, il n'y a pas de mythe plus efficace que celui de la fin de l'histoire, auquel les ruines du mur de Berlin fournissent un impeccable décor. La thématique de la fin de l'histoire convertit le présent néolibéral en éternité et permet au puissant de «vendre la version d'un futur impossible sans sa domination». L'aujourd'hui divinisé, l'oubli triomphant et le présent devenu éternité sont trois expressions d'une même réalité : dans le temps dominant du Marché mondialisé, il n'y a aucun passé à connaître, aucun futur à espérer.

C'est précisément parce que la logique néolibérale la nie que l'histoire est chaque jour plus nécessaire. Et c'est pourquoi les textes zapatistes parient sur une récupération conjointe du passé et du futur, cherchant à rétablir dans un même mouvement la conscience historique du passé et une perspective nouvelle de futur.

Cela suppose en premier lieu de démasquer le mensonge de la fin de l'histoire ; et la proposition de l'Ezln de réaliser, à Berlin même, une Rencontre européenne contre le néolibéralisme n'avait pas d'autre objectif que d'inverser le symbole de la fin de l'histoire pour en faire celui de son nouveau départ : « Sur le mensonge de notre défaite, le Pouvoir a construit le mensonge de sa victoire. Et le Pouvoir a choisi la chute du mur de Berlin comme symbole de sa toute-puissance et de son éternité... Pourquoi ne pas commencer par aller de nouveau en ce lieu, dans ce symbole que le Pouvoir maintient comme celui de la fin de l'histoire et de l'éternité de son mandat ? » (30 janvier 1996). Ainsi, si l'histoire commence à secouer sa fatigue et à se réveiller, il est alors possible de regarder de nouveau vers le futur. Le lendemain, que l'on espère « meilleur », « pluriel », « d'inclusion et de tolérance », peut de nouveau faire partie du vocabulaire en usage, et les zapatistes peuvent écarter l'accusation qu'on leur lance d'être des « professionnels de la violence » pour se définir comme des « professionnels de l'espérance » (6 mars 1994).

On en sait peu sur le futur espéré par le mouvement zapatiste, hormis qu'il vise fondamentalement à donner consistance à la dignité humaine. C'est là une conséquence de la rupture avec la conception d'une avant-garde historique supposée connaître par avance la destination finale vers laquelle guider le peuple (ce qui était la base idéologique de sa légitimité à le diriger). C'est la conséquence aussi de la reformulation de la notion même de révolution, que les zapatistes se sont employés, comme on l'a vu, à débarrasser de sa majuscule. Certes, de rares textes des années 1994 et 1995 laissent encore percevoir des traces d'un marxisme orthodoxe. Outre la lettre malheureuse à Adolfo Gilly, un communiqué du 6 mai 1994 prophétise que le futur espéré «naîtra *de science certaine*», ce qui ne laisse pas d'évoquer les supposées lois de l'histoire qui mènent l'humanité vers un futur inéluctable. Mais, dans les années suivantes, de telles mentions disparaissent et laissent place à un futur désiré mais sans certitude, différent mais imprévisible, possible mais seulement conditionnel. En un mot, un futur *ouvert* : dans la pensée imagée du vieil Antonio, cela signifie que le chemin qui vient *n'est pas tracé* (sans qu'il soit pour autant interdit de l'emprunter). La possibilité d'un autre futur, ou plutôt d'autres futurs, existe, mais on ne peut les connaître avant de s'y aventurer.

Associée à cette conception ouverte du futur, une autre caractéristique de la grammaire zapatiste des temps historiques est la relation établie entre passé et futur. Celle-ci apparaît avec force et de manière assez surprenante dans une formule remarquable qui propose d'«avancer vers l'arrière» ou, de manière un peu moins paradoxale, de «regarder en arrière pour pouvoir cheminer vers l'avant». De telles mentions se rencontrent au moins quatre fois, sous des formes différentes, entre janvier et juillet 1996, et le fait qu'elles soient associées à des personnages différents pourrait suggérer quelques indications sur le processus d'écriture des communiqués. Après une première mention, en référence à une citation de Lewis Carroll («De même qu'Alice découvre que pour atteindre la Reine Rouge elle doit cheminer vers l'arrière, nous devons nous retourner vers le passé pour pouvoir avancer et être meilleurs. Dans le passé nous pouvons découvrir des chemins vers le futur», 30 janvier 1996), Marcos affirme, dans une phrase déjà citée, «nous sommes... le regard vers l'arrière pour pouvoir cheminer vers l'avant» (4 avril 1996). Puis, Durito tire une leçon morale d'une histoire de «crabes, coquillages et parents des scarabées, qui savent que la meilleure manière d'avancer est vers l'arrière» (5 juillet 1996), et enfin le vieil Antonio dissipe les inquiétudes d'un sous-commandant égaré dans la forêt de la pensée indigène : «– Mais pourquoi m'as-tu dit que lorsqu'on ne sait pas ce qui suit, il faut regarder vers l'arrière ? Ce n'est pas pour trouver le chemin du retour ? ai-je demandé. – Non, a répondu le vieil Antonio... En te retournant pour regarder vers l'arrière, tu te rends compte de l'endroit où tu es arrivé. C'est-à-dire que tu peux voir le chemin que tu n'as pas bien fait... Il a servi parce qu'ainsi nous avons su qu'il n'a servi à rien, et alors nous n'allons pas l'emprunter à nouveau... et nous pouvons en faire un autre pour qu'il nous conduise où nous voulons» (6 juillet 1996). La formule semble donc avoir été suggérée par la lecture de Lewis Carroll et ensuite diversement retouchée par Marcos et ses compagnons imaginaires pour établir de manière plus articulée la jonction des deux éléments : regarder vers l'arrière et marcher vers l'avant.

De telles formulations n'impliquent pas un retour au passé, et les explications du vieil Antonio ne laissent aucune équivoque à cet égard. Elles ne font pas de l'avenir une répétition du passé, mais suggèrent au contraire l'idée d'un futur ouvert (à l'image du chemin qui n'est pas encore tracé), qui renonce nécessairement à penser l'histoire comme un éternel retour. Certes, les communiqués témoignent aussi d'une perception cyclique du temps, qui sans cesse fait revenir au même, ce qui n'est pas sans créer une contradiction avec l'espérance d'un avenir différent. Pourtant, chacune de ces conceptions se manifeste dans des contextes différents : la répétition cyclique apparaît lorsque l'on compare la situation présente au passé, tandis que, si l'on regarde depuis le présent vers le futur, s'ouvre l'espoir que la lutte puisse réveiller l'histoire. C'est pourquoi la croyance en une indépassable répétition historique est le propre des paroles trompeuses que les puissants adressent aux insoumis : «Rebelles du monde entier! Unissez-vous dans vos déroutes! Il n'y a aucune victoire dans votre passé... Prenez le vieux recyclé, imitez-moi, je suis celui de toujours à peine retouché, je suis le vieux rénové, le cauchemar de toujours mais avec l'avantage d'être maintenant globalisé... Ne tentez rien de nouveau, répétez le vieux» (3 mai 1996). L'histoire comme pure répétition est une arme de la domination, destinée à décourager tous ceux qui s'efforcent d'inventer un monde neuf.

Mais comment engager une alliance positive entre passé et futur, qui ne conduise pas à reproduire demain le vieux d'hier? Les textes zapatistes suggèrent plusieurs perspectives. En premier lieu, l'idée de regarder vers l'arrière pour aller de l'avant doit être entendue comme un plaidoyer pour la connaissance du passé, indispensable pour étendre nos perspectives et nos attentes envers le futur. Les explications du vieil Antonio, soulignant la nécessité de regarder le chemin déjà parcouru, constituent une magnifique défense de la

conscience historique. Dans ses commentaires, on perçoit surtout la critique des erreurs passées, le souci de
détecter les impasses et la conscience du fait qu'une
partie du chemin a servi dans la mesure exacte où l'on
se rend compte qu'il n'a servi à rien! La connaissance
du passé est donc utile pour se détacher et s'éloigner
de lui ; elle est une condition nécessaire pour ne pas le
répéter et éviter d'être à nouveau sa victime. De même,
dans une formulation plus «moderniste», le communiqué proposant la réunion de Berlin indique : «Nous,
comme vous, n'avons pas d'aspiration plus grande que
le futur. C'est pour cela que le passé est important. Si
quelque chose de nouveau naît, c'est parce que quelque
chose de vieux meurt. Mais, dans le nouveau, le vieux
se prolonge et peut dévorer le futur, si nous ne le déli-
mitons pas, si nous ne le connaissons pas, si nous n'en
parlons pas et ne l'écoutons pas, en somme si nous ces-
sons d'avoir peur de lui.»

Mais on peut aussi repérer dans les communiqués
une idée inverse – plus complémentaire que contradictoire – qui reconnaît dans le passé certains éléments
positifs (si l'on veut bien entendre par cette expression
non pas des formes de vie ou de pensée qu'il s'agirait
de reproduire telles quelles, mais des germes d'inspiration, des points d'appui pour une critique présente et
un projet futur). Ce trait est clairement lié à la dimension indigène du soulèvement, tant le passé revalorisé
est associé à la culture des peuples indiens, descendants des premiers habitants des terres américaines :
«Le passé est la clé du futur. Dans notre passé existent
des pensées qui peuvent nous servir pour construire un
futur dans lequel il y ait place pour tous, sans être

étouffés comme nous étouffent aujourd'hui ceux qui vivent en haut. Le futur de la patrie, nous allons le trouver en regardant vers le passé, vers ceux qui en premier nous ont habité, vers ceux qui en premier nous ont pensé, vers ceux qui en premier nous ont fait» (9 janvier 1996). L'affirmation d'une alliance nécessaire entre passé et futur n'est qu'une autre manière de revendiquer l'intégration des peuples indigènes à la nation mexicaine : «La noble nation mexicaine repose sur nos ossements. S'ils nous détruisent, le pays entier s'effondrerait et commencerait à errer sans direction ni racines. Prisonnier des ombres, le Mexique nierait son futur en niant son passé», car «un pays qui oublie son passé ne peut avoir de futur» (17 mars 1995 ; 12 octobre 1995). Ici, la chronologie se fait géologie, et les «premiers habitants de ces terres» semblent constituer le sous-sol symbolique du Mexique. Ils sont la part présente de son passé, pour cela même indispensable à la stabilité future de la nation entière.

Pour autant, on aurait tort d'enfermer les peuples indigènes dans une identité-au-passé, car la relation passé/futur mise en place ici veut rompre avec l'illusion d'une tradition immobile et oppressive. Les zapatistes eux-mêmes se gaussent de la folklorisation des indigènes et des politiques officielles qui les transforment en pièces de musée («Ce sont des êtres vivants, et non pas les fossiles que souhaiterait la propagande du pouvoir global», mai 1996 ; «ils nous offraient un très joli recoin dans le musée de l'histoire», 17 mars 1995). Les zapatistes refusent l'assimilation exclusive des indigènes au passé, piège d'oubli manipulé d'en haut : «Le pouvoir veut enfermer la lutte indigène actuelle dans la nostalgie... On tente de borner la lutte indienne dans les limites du passé, quelque chose comme "le passé nous atteint avec ses dettes à régler". Comme si régler ces comptes pouvait être le dissolvant efficace pour effacer ce passé et que règne ainsi sans problème le "aujourd'hui, aujourd'hui, aujourd'hui"», devenu la réplique emblématique du président Fox (12 mars 2001). Il ne saurait donc être question ici que de peuples attachés à un passé vivant, présent, sans rapport avec le passé mort du musée. Si les communautés ne sont pas la manifestation intacte d'un passé précapitaliste, les luttes paysannes ne sont pas davantage une réaction de rejet nécessairement passéiste, voire réactionnaire, face à la modernité capitaliste. Cette vision classique a été amplement critiquée et l'on peut désormais mieux reconnaître la capacité d'initiative des communautés paysannes, à la fois pour résister et pour s'adapter (N. Harvey), et admettre le potentiel révolutionnaire dont sont capables, sous certaines conditions, ceux que E. Hobsbawm appelle, d'une expression que sa plume veut bienveillante, les « rebelles primitifs». Mais, inversement, il serait non moins abusif de prendre le contre-pied complet de la vision courante, pour exalter la modernité des communautés indigènes, capables de rompre avec la tradition, de s'ouvrir et d'innover au point d'être parfaitement en phase avec le monde globalisé. Le plus sage est sans doute de renoncer à ces deux visions extrêmes et de considérer que les communautés indigènes ne sont, par essence, ni réactionnaires ni révolutionnaires, ni primitives ni modernes.

Les communautés indigènes forment un monde présent, mêlé et confronté aux réalités les plus actuelles. C'est ce présent qu'il faut considérer d'abord, même si c'est pour reconnaître qu'à partir de lui de profondes racines plongent dans le passé, tandis que se construisent des projets de futur parfois ambitieux. Dans la perspective zapatiste, l'ouverture au futur et le désir de transformation acquièrent un rôle fondamental : «La lutte indigène mexicaine ne vient pas retarder la pendule [de l'histoire]. Il ne s'agit pas de revenir au passé et de déclamer, d'une voix émue et inspirée, que "tout temps passé était meilleur". Je crois que cela, ils l'auraient toléré et même applaudi. Non, nous, les peuples indigènes, venons pour remonter la pendule et garantir ainsi qu'advienne le lendemain incluant, tolérant et pluriel qui, soit dit en passant, est le seul lendemain possible (...) En somme, nous les indigènes, nous n'appartenons pas à hier, nous appartenons à demain» (12 mars 2001). C'est depuis cette revendication de futur que l'on peut donner sens à la forte teneur en passé que font éprouver les communautés indigènes. Même si, comme on le dira, elles ne reproduisent nullement l'image d'une communauté originelle, elles font cependant connaître des formes d'organisation sociale que le capitalisme a généralement éliminées lorsqu'elles se sont trouvées sur la route du progrès et de la modernisation. Sans toutefois manifester la permanence d'un monde précapitaliste miraculeusement préservé, les communautés indigènes donnent à voir, à travers le prisme de leurs incessantes transformations, les miroitements d'un tel passé (ce dont témoigne notamment leur expérience du temps et de l'espace, de la nature et des relations collectives). Il existe donc, dans le présent sans cesse recréé des communautés, une composante précapitaliste qui pourrait bien constituer, pour peu qu'opère l'alchimique mélange entre la réinvention de l'expérience et la récupération d'un futur neuf, une position adéquate pour ancrer une solide résistance et développer une rébellion créatrice.

Cependant, la proposition d'une nouvelle alliance entre passé et futur ne concerne pas seulement les peuples indigènes, mais aussi l'ensemble de l'humanité, dans la mesure où elle repose sur la critique du temps dominant dans le monde néolibéral. Si le présent perpétuel fonde sa tyrannie sur l'oubli du passé et la négation du futur, l'histoire, dans sa lutte contre le Marché, doit s'efforcer de rétablir, d'un même mouvement, mémoire du passé et possibilité de futur. Rejeter le règne de l'aujourd'hui néolibéral suppose une conscience historique du passé, indispensable pour briser l'illusion de la fin de l'histoire et rouvrir la perspective d'un avenir qui ne soit pas la répétition du présent. « Les choses ont toujours été ainsi » : il n'y a guère de poison qui, distillé dans l'air du temps, soit plus utile aux fins de la domination. L'histoire, au contraire, en remontant le temps et en découvrant l'existence de mondes passés différents du nôtre, démontre que ce qui se donne aujourd'hui pour inévitable, nécessaire, naturel, n'est jamais qu'une construction récente et vraisemblablement non moins transitoire que les réalités antérieures (« Notre rêve devine déjà que les monuments que le néolibéralisme s'auto-érige ne sont que de futures ruines », 12 mars 2001). On peut donc considérer que c'est l'identification du présent perpétuel du Marché triomphant comme adversaire fondamental qui conduit à proposer, dans les textes zapatistes, une alliance entre passé et futur. Face au présent divinisé, devenu éternité et synonyme d'oubli et de désespérance, une stratégie critique ne peut être que la stricte inversion de cette sinistre grammaire des temps historiques. C'est pourquoi le soulèvement zapatiste peut se définir lui-même comme une rébellion qui « a défié le désenchantement présent en posant un pied dans le passé et l'autre dans le futur » (mai 1996).

Une telle figure s'écarte sensiblement de la vision linéaire de l'histoire, caractéristique de la modernité et partagée par le marxisme orthodoxe. Il en va ainsi, bien entendu, si l'on se réfère à la théorie des cinq phases de l'évolution de l'humanité, qui devait conduire celle-ci, avec l'inéluctabilité supposée des lois de la science historique, à travers un chemin *unique*, vers son *happy end* communiste. Si une telle vision n'est rien d'autre qu'un emprisonnement dogmatique du marxisme, promu par Staline à des fins politiques évidentes, on ne peut nier qu'elle ait pu s'appuyer sur certains traits de pensée que Marx et Engels partageaient avec la conception de la modernité propre au XIXᵉ siècle. Ainsi en va-t-il de l'« optimisme fataliste » (M. Löwy) dont ils font imprudemment preuve en annonçant, dans le *Manifeste communiste*, que la chute de la bourgeoisie et la victoire du prolétariat sont également certaines. De fait, les traditions révolutionnaires dominantes des XIXᵉ et XXᵉ siècles sont restées tributaires, sinon des caricatures de la « science » stalinienne, du moins d'un schéma linéaire et évolutionniste de l'histoire. Conformément aux lignes célèbres de Marx, dans *Le Dix-Huit Brumaire de Louis Bonaparte* (« La révolution sociale du xixe siècle ne peut tirer sa poésie du passé mais seulement de l'avenir... Les révolutions antérieures avaient besoin de recourir aux souvenirs de l'histoire universelle pour s'étourdir de leur propre contenu. La révolution du xixe siècle doit laisser les morts enterrer les morts pour prendre conscience de son propre contenu», leur conception des temps historiques était la suivante : s'élancer en avant, vers le soleil radieux des lendemains qui chantent, en rompant avec l'odieux passé, condamné par le progrès à une complète obsolescence.

Cependant, un autre versant de la pensée de Marx invite à formuler une conception ouverte de l'histoire, plus possibiliste que strictement déterministe. Reconnaître que les lois de l'histoire invoquées par Marx sont seulement « tendancielles » en transforme radicalement le sens et implique que les évolutions ne sont jamais inéluctables, mais résultent au contraire de la sélection de différentes alternatives historiquement possibles. L'histoire cesse alors d'être le développement d'une ligne unique et universelle et apparaît au contraire tissée de multiples possibilités, réussies ou abandonnées, tentées ou oubliées. En outre, rompre avec une vision linéaire de l'histoire ne signifie pas seulement formuler une conception possibiliste de celle-ci, mais aussi reconnaître les arythmies chronologiques et les discordances temporelles qui s'entrelacent dans les processus sociaux et rendent impossible l'unification de l'Histoire sous la forme d'une flèche unique, lancée toute droite vers l'avenir. Parler de discordances historiques invite aussi à reconnaître la possibilité d'un mélange entre les temps historiques, communément ordonnés sur la ligne rigide de l'évolution sociale. À cet égard, on doit une attention particulière à la lettre adressée par Marx à Vera Zassoulitch en 1881, ainsi qu'à ses brouillons. Interrogé sur le destin de la communauté russe et sur la «théorie qui veut que tous les peuples du monde soient obligés par la nécessité historique à parcourir toutes les phases de la production capitaliste, Marx fait observer avec insistance que, dans ses écrits, la "fatalité historique" de ce mouvement est expressément limitée aux pays d'Europe occidentale» (et dans une lettre, de peu antérieure, il s'insurge contre ceux qui «veulent convertir mon esquisse historique sur les origines du capitalisme en Europe occidentale en une théorie philosophico-historique sur la trajectoire générale à laquelle seraient fatalement soumis tous les peuples, quelles que soient les circonstances historiques dans lesquelles ils se trouvent»). Ainsi, en refusant l'imposition d'un schéma historique supposément universel, Marx ouvre la possibilité que la communauté rurale russe et ses formes collectives d'organisation puissent survivre et s'intégrer directement dans un système socialiste, sans être détruites par la logique capitaliste d'expropriation des producteurs : «parce que en Russie, grâce à une combinaison de circonstances uniques, la commune rurale, encore établie sur une échelle nationale, peut graduellement se dégager de ses caractères primitifs et se développer directement comme élément de la production collective sur une échelle nationale : c'est justement grâce à la contemporanéité de la production capitaliste qu'elle peut s'en approprier tous les acquis positifs et sans passer par ses péripéties affreuses».

Cette possibilité est seulement conditionnelle, car elle dépend dans une grande mesure d'impulsions extérieures et du développement des forces révolutionnaires en Occident. Et il est vrai aussi que cette hypothèse est formulée dans une conjoncture qui permet à Marx d'imaginer une imminente déroute du tsarisme, tandis que, douze ans plus tard, des circonstances plus défavorables conduisent Engels à considérer avec davantage de scepticisme l'avenir des communautés russes. Mais l'évolution ultérieure ne saurait en aucune façon disqualifier le diagnostic strictement conditionnel de Marx et moins encore l'insistance avec laquelle il rejette l'idée d'une évolution historique inéluctable, linéaire et universelle. Au contraire, cette analyse invite à reconnaître que l'histoire peut profiter de circonstances chaque fois uniques pour défaire les schémas trop simples et ouvrir des voies inédites et imprévisibles. En l'occurrence, c'est la persistance des communautés russes à l'époque de l'expansion mondiale du capitalisme occidental qui ouvre la possibilité de son intégration directe dans les formes collectives de la production socialiste. L'existence simultanée du présent capitaliste et d'organisations sociales héritées du passé permet de formuler l'hypothèse d'un pont direct entre ce passé et un futur déjà au-delà du capitalisme. Mais il faut, pour s'en rendre compte, être en mesure de penser « une contemporanéité de situations non contemporaines » (D. Bensaïd).

Sans commettre l'absurde d'identifier les communautés russes des années 1880 et celles du Mexique actuel, on peut du moins admettre que la lettre à Vera Zassoulitch permet d'envisager une autre conception de l'histoire. Elle invite à critiquer la vision linéaire de la modernité et son idée du progrès, et à esquisser une autre relation entre les temps historiques. Le fait que Marx lui-même ait pu reconnaître que le cheminement vers le futur n'implique pas nécessairement le rejet et la destruction des formes sociales passées et apparemment condamnées par le progrès, peut nous aider à mieux comprendre l'alliance du passé et du futur que cherchent à établir les textes zapatistes. Dans cette optique, mettre un pied dans le passé pour construire un autre futur n'est pas nécessairement la marque d'un archaïsme obtus, ni d'un culte conservateur de la tradition. Ce peut être aussi le signe d'une conscience de la discordance des temps historiques. Si l'on admet que l'histoire n'avance pas tout entière du même pas, sur la route droite du progrès inéluctable, alors il est possible d'unir le passé indigène et le destin futur de l'humanité. Il devient envisageable de tenter d'improbables rencontres entre les formes de vie communautaires, ayant résisté à l'imposition de la logique capitaliste, et le désir de l'humanité de détruire la destruction néolibérale. À cet égard, la logique zapatiste s'apparente à celle du «romantisme révolutionnaire» qui, à la différence d'un romantisme restitutionniste désireux de restaurer le passé prémoderne, ne vise pas «un *retour* au passé, mais un *détour* par le passé» et utilise la nostalgie du passé pour se projeter en avant, vers un avenir nouveau et utopique (M. Löwy). Ainsi, dans le présent de la lutte zapatiste s'unissent, contre la tyrannie de l'aujourd'hui néolibéral, l'expérience ancrée dans le passé des peuples indigènes et l'espérance de futur par-

tagée par les hommes qui ne se résignent pas à la folie
de la marchandise et du profit.

Au total, on trouve dans les textes zapatistes sur l'histoire de nombreux mélanges de vieux et de neuf, de
fortes variations et d'importantes contradictions : tensions entre l'histoire nationale et le passé indigène, tensions entre la manipulation politique de l'histoire
comme source de légitimité et la réflexion critique sur
la nécessité de la conscience historique ; tensions entre
une vision indigène du temps tendanciellement
cyclique, pour laquelle le présent répète le passé, et
l'espoir d'un autre futur qui ne reproduise pas le passé.
Les discours et les expériences zapatistes cheminent
entre trois temps préexistants – le temps cyclique des
communautés, le temps linéaire de la modernité et du
marxisme, le présent perpétuel du monde contemporain – et un quatrième temps encore en voie d'élaboration. Du temps indigène, ils reprennent la valorisation positive de certains aspects du passé, mais sans se
laisser enfermer dans le cercle de la répétition. Ils partagent avec la modernité la perspective d'un futur qui
soit meilleur que le présent, mais rejettent toute vision
linéaire et finaliste et reconnaissent que ce futur est
ouvert, incertain, et par conséquent ni prédéterminé, ni
connu d'avance. Du temps dominant aujourd'hui, ils
retiennent en partie la critique postmoderne de l'idée
de progrès et de l'inéluctabilité des lendemains qui
chantent, mais affirment la nécessité de reconstruire
une conception de l'histoire qui soit l'inversion radicale
du présent perpétuel imposé par le néolibéralisme et
qui s'avère capable d'intégrer expérience et espérance.

Entre ces conceptions si différentes, le mouvement zapatiste tente des mélanges étranges et créatifs. Il ne recherche ni synthèse définitive, ni théorisation rigoureuse, même si l'on peut percevoir une évolution, avec une inflexion importante en 1996, année des rencontres intercontinentales propices à la recherche de convergences entre l'ancrage indigène et la dimension universelle, jusqu'aux textes de février-mars 1998, identifiant comme défi fondamental la lutte contre le présent perpétuel de la globalisation néolibérale.

Le temps historique qui émerge des textes zapatistes n'est donc ni un cercle fermé, ni une ligne droite, ni un point immobile. Il ne saurait être *une* figure, mais seulement plusieurs figures. Il peut être un pont ou un pli (joignant passé et futur), un zigzag ou une spirale (comme le temps des anciens Mayas, symbolisé par un vieil homme sortant d'une coquille d'escargot), un chemin dans la montagne ou, mieux, un réseau de chemins toujours à continuer... On ne peut guère le définir d'une manière aussi simple que le temps des conceptions antérieures (et autant reconnaître que l'on ne sait pas encore exactement ce qu'il est). C'est pourquoi il importe surtout de souligner deux de ses contributions principales. D'abord, il propose la reconstruction d'une pensée véritablement historique, consciente que l'humanité a vécu et vit des changements sociaux incessants et que ces transformations sont des processus dotés de cohérence et rationnellement analysables. D'autre part, rejetant la désagrégation postmoderne des processus historiques et critiquant en même temps la linéarité évolutionniste partagée dans une large mesure par la modernité bourgeoise et le matérialisme

historique, ces textes ouvrent la possibilité de reconnaître une discordance des temps et parient sur une
récupération conjointe du passé et du futur.

Dans une certaine mesure, cette recherche – qui ne
saurait prétendre être ni la première tentative, ni la
seule base possible pour esquisser un tel dépassement – peut nous renvoyer aux efforts de Walter Benjamin pour élaborer une conception du temps propre
au matérialisme historique, c'est-à-dire ayant renoncé
à la croyance aveugle en un progrès global et illimité.
Le philosophe s'en prend ainsi à la conception homogène et vide du temps de l'historicisme et s'emploie à
rompre la vision continuiste d'un devenir orienté par
le progrès, en affirmant la nécessité de *ruptures* de type
messianique. Au centre de sa tentative pour rompre le
continuum tranquille de l'historicisme et la nullifica-
tion de l'instant qu'il suppose, W. Benjamin inscrit une
glorification du présent, « un présent qui n'est point
passage, mais qui se tient immobile sur le seuil du
temps ». Cherchant ainsi à ouvrir le temps à l'irruption
messianique du projet révolutionnaire – et tout en l'articulant à la réappropriation romantique du passé et à
l'espérance féroce du futur –, le présent de W. Benjamin est évidemment sans rapport avec le présent perpétuel du monde néolibéral, éternelle répétition du
même (au contraire, sa conception de l'histoire, qui
tient également du « romantisme révolutionnaire », partage de nombreux traits avec celle que suggèrent les
textes zapatistes).

Mais il convient de remarquer que l'adversaire
contre lequel W. Benjamin élaborait ses *Thèses* était
bien différent de celui que les textes zapatistes nous

invitent à identifier aujourd'hui. Il s'efforçait de rompre par la critique la vision linéaire et auto-engendrée d'une histoire avançant vers un inéluctable progrès, que le marxisme ordinaire partageait avec l'idéologie bourgeoise, alors que nous sommes aujourd'hui face au champ de ruines laissé par l'épuisement de la modernité et la fin des « grands récits » d'émancipation, proclamée par la postmodernité. Aujourd'hui, quand le danger principal est le présent perpétuel de la mercantilisation du monde, quand l'instant éphémère est « le nouveau tyran » qui fait sombrer le passé dans l'oubli et occulte toute perspective d'un futur différent, faire du présent la bannière d'une conception rénovée de l'histoire est probablement devenu un chemin dangereux et semé d'équivoques (si, comme l'écrit W. Benjamin, « chaque seconde était la porte étroite par laquelle pouvait passer le Messie », ce sont des faux messies par milliers qui sont créés chaque jour dans l'instantanéité de la communication mondiale). Il n'en reste pas moins que la critique benjaminienne nous rappelle qu'il est indispensable de valoriser le présent comme possible interruption de la domination et de reconnaître son ouverture potentielle, seul moyen d'opérer le passage d'une histoire qui se répète à une histoire qui cesse de se répéter (conformément à l'idée zapatiste d'une histoire « qui se répète pour ne plus se répéter »). Ainsi, il est clair que la relation passé/futur n'a de sens que si elle est pensée *au présent* : selon une formule de Marcos, « le présent est passé et futur » (8 février 1996), ce qui rappelle opportunément que le passé et le futur n'existent que dans le présent, comme mémoire et comme espérance, comme expérience et comme projet.

Pourtant, l'abrupt arrachement du présent à toute continuité dynamique n'est pas sans danger et la situation actuelle, telle que l'analysent les textes zapatistes, paraît plutôt imposer comme enjeu prioritaire la récupération conjointe du passé et du futur. Passé et futur, réunis et mêlés en une imprévisible discordance des temps. Passé et futur, cessant enfin d'être les ennemis irréductibles qu'ils furent sous le règne de la modernité. Passé et futur, associés en un même regard, condition d'une nouvelle conscience historique. Seule une telle histoire peut vaincre l'éclat factice du présent perpétuel en révélant un avant radicalement autre, promesse d'un après non moins différent (et tellement autre qu'il en devient inimaginable, imprévisible). Une telle histoire peut rouvrir un horizon d'espérance qui ne soit pas la répétition de l'expérience passée, comme le voulaient les sociétés traditionnelles, et qui ne fasse pas davantage le jeu du conservatisme ou d'un retour au paradis perdu des origines, mais sans pour autant exclure d'improbables jonctions autorisées par une discordance assumée des temps historiques. Cela veut dire que l'espérance ne peut plus désormais se prévaloir d'une trajectoire garantie, comme le voulaient la modernité et sa foi dans la dynamique du progrès et les lois de l'histoire. C'est ce qui rend l'idée même d'un autre futur particulièrement vulnérable, expliquant que beaucoup concluent à sa disparition, quand d'autres s'efforcent de l'entrevoir dans sa fragilité. L'histoire n'expliquera jamais le présent et n'éclaire plus le futur. Mais, plus que jamais, elle a pour mission de restaurer d'un même mouvement un espace d'expérience et de mémoire, nécessaire à la saisie du contemporain, et un horizon d'espérance, dont la promesse est certaine mais la nature indéterminée.

IV

Autonomie des lieux
et nouvel universalisme

(Vers une nouvelle conception de la spatialité ?)

> « Une société émancipée ne serait pas
> un État unitaire, mais la réalisation de
> l'universel dans la réconciliation des dif-
> férences. Aussi une politique qu'intéres-
> serait encore sérieusement une telle
> société devrait-elle éviter de propager –
> même en tant qu'idée – la notion d'éga-
> lité abstraite des hommes. Elle devrait au
> contraire attirer l'attention sur la piètre
> égalité actuelle (…) et concevoir un meil-
> leur régime, à savoir des hommes pou-
> vant affirmer leur différence sans peur. »
>
> Th. Adorno, *Minima Moralia*, 66.

Qu'est-ce donc que l'Ezln : une organisation chiapanèque et indigène ? Un mouvement national, comme le
revendique son nom ? Un retour de l'internationalisme ? Probablement ces trois aspects à la fois, mais
aucun d'entre eux proprement dit. L'une des originali-
tés de l'Ezln est précisément sa capacité à articuler ces
différentes perspectives. Pour analyser comment les
zapatistes parviennent à mettre en œuvre un tel entre-
lacement des appartenances locales et ethniques, de la

revendication nationale et du souci planétaire, il faudra prendre à nouveau en compte le contexte de la globalisation fragmentée du néolibéralisme ; et on sera conduit à des interrogations générales sur la spatialité et la question des lieux, puis finalement sur la possibilité d'esquisser un universalisme rénové.

Revendications indigènes et autonomie

Comptant la plus forte population indigène d'Amérique (en valeur absolue), le Mexique est un pays multiculturel et multiethnique (on y dénombre pas moins de 56 langues indigènes). Comme dans tout le continent, cette situation résulte de la conquête et de la colonisation européennes, qui provoquèrent un des pires génocides (à la fois volontaire et involontaire) de l'histoire de l'humanité et détruisirent les civilisations indigènes. Quant au Mexique devenu indépendant, ses dirigeants se perdirent en confrontations idéologiques, les uns se proposant d'asseoir la nouvelle nation sur les valeurs de la culture européenne transplantée durant l'époque coloniale, tandis que les autres revendiquaient les civilisations préhispaniques comme base de la grandeur nationale. Mais tous s'efforcèrent d'oublier les indigènes contemporains, ou de les massacrer quand ceux-ci se révoltaient, victimes au XIXe siècle d'un processus d'expropriation des terres communales bien plus intense encore que durant l'époque coloniale. Après la révolution de 1910-1920, qui restitua aux communautés une partie de leurs biens, l'indigénisme prit son essor, sous forme d'un projet intégrateur qui visait à fondre les indigènes dans la nation mexicaine. Même le développement de l'enseignement bilingue, surtout à partir des années 30, était alors conçu comme un moyen d'accès à *la* culture nationale, devant conduire à terme à la disparition des langues indigènes. Selon cette idéologie, mise en œuvre par le très officiel Institut national indigéniste créé en 1948, l'idéal était un Mexique qui ne comptait ni indigènes ni «Européens» – «ni vaincus, ni vainqueurs», comme dit l'inscription de la place des Trois-Cultures, à Mexico –, mais seulement une population métisse homogène. Tel est le projet d'une unité nationale qui se cherche et qui trouve son idéal dans le métissage, exalté par Vasconcelos comme la «race cosmique».

Mais, à un demi-siècle de distance, force est bien d'admettre que l'indigénisme n'a pas atteint ses buts. Au contraire, à partir de la fin des années 60, tout le continent américain connaît un processus de réindigénisation et voit se développer mouvements indigènes et revendications ethniques. Et en l'an 2000, le Mexique compte une population de 10 millions d'indigènes, confrontée à un racisme toujours virulent et concentrant les plus forts taux de pauvreté, d'analphabétisme, de mortalité et de précarité des conditions de vie. Le fait que la différence ethnique recoupe presque toujours un écart social a certainement très largement contribué à l'échec du projet intégrateur, et invite à comprendre que les revendications ethniques qui se développent depuis plusieurs décennies sont en même temps des luttes sociales. L'un des mérites du zapatisme est justement d'avoir placé la question indigène au centre du débat national et d'avoir obligé la société

mexicaine à prendre conscience de l'échec de l'indigénisme intégrateur. Ce qui s'effondre le 1er janvier 1994,
ce n'est pas seulement le mensonge saliniste d'un
Mexique moderne faisant son entrée dans le Premier
monde, c'est aussi le mythe d'un Mexique métis et
homogène. Le soulèvement zapatiste démontre au pays
que les indigènes sont toujours là, ainsi que le racisme
qui les exclut et les méprise, et qu'ils prennent la parole
pour affirmer leur volonté d'être partie intégrante de la
nation mexicaine, sans pour autant disparaître comme
indigènes. Ce qu'ils affirment c'est la mort de l'indigénisme et l'émergence d'un autre modèle d'intégration,
fondé sur le respect de leurs différences et de leurs spécificités.

Mais le zapatisme est-il vraiment un mouvement
ethnique ? Certains commentateurs se sont plu à souligner que les zapatistes de janvier 1994 ne défendaient
guère de revendications ethniques, suggérant ainsi que
la dimension indigène aurait été rajoutée après coup
lorsque, au moment d'improviser un nouveau discours, les zapatistes se seraient rendu compte que
l'ethnicité, fort à la mode, constituait un thème porteur... Il n'est pas jusqu'à Carlos Salinas, dans ses
Mémoires, qui ne reprenne ce thème en notant, du
reste avec raison, que le mot « indigène » n'apparaît pas
dans la première Déclaration de la Selva Lacandona.
Le mot n'y est pas, certes, mais il faut être de bien mauvaise foi ou vraiment aveugle pour nier la dimension
indigène d'un document qui commence par « nous
sommes le produit de 500 ans de luttes... » et qui, plus
loin, dénonce « une guerre génocide non déclarée
contre nos peuples » !

Un communiqué du 6 janvier 1994 affirme que les
«troupes de l'Ezln sont majoritairement indigènes
chiapanèques, et cela parce que, nous les indigènes,
nous représentons le secteur le plus humilié et dépos-
sédé du Mexique, mais aussi, comme on le voit, le plus
digne. Nous sommes des milliers d'indigènes insurgés
avec nos armes, et derrière nous il y a des dizaines de
milliers d'indigènes», puis précise que «actuellement,
la direction politique de notre lutte est totalement indigène; 100 % des membres des comités clandestins
révolutionnaires indigènes appartiennent aux ethnies
tzotziles, tzeltales, choles, tojolabales et autres». Dans
les jours suivants, la plupart des communiqués se réfèrent également à la dimension indigène du soulèvement, par exemple lorsque Marcos mentionne «l'honneur d'avoir pour supérieurs les meilleurs hommes et
femmes des ethnies tzeltales, tzotziles, choles, tojolabales, mames et zoques», ou encore lorsqu'il adresse
une lettre «à nos frères indigènes des autres organisations» (20 janvier 1994) et se déclare «très satisfait de
savoir que nos frères indigènes amuzgos, mixtèques,
nahuas et tlapanèques [de l'État du Guerrero] connaissent notre lutte juste pour la dignité et la liberté des
indigènes et de tous les Mexicains» (1er février 1994).
Enfin, parmi les demandes présentées lors du dialogue
dans la cathédrale, on trouve déjà la revendication
d'autonomie, bien que certains la présentent volontiers
comme un ajout tardif («en tant que peuples indigènes,
qu'on nous laisse nous organiser et nous gouverner
avec autonomie»; «que la justice soit administrée par
les peuples indigènes eux-mêmes, selon leurs coutumes et traditions»), et celle du respect dû aux indi-

gènes («que soient respectés nos droits et notre dignité en tant que peuples indigènes, prenant en compte notre culture et tradition»; «nous ne voulons plus être objets de cette discrimination et de ce mépris que nous avons soufferts depuis toujours comme indigènes»), à quoi s'ajoutent des revendications plus précises telles que la reconnaissance d'un statut officiel pour les langues indigènes, leur usage à tous les niveaux d'enseignement, la création de moyens d'information audiovisuels indigènes, ainsi que les demandes des femmes indigènes (1er mars 1994).

Pourtant, même si la dimension indigène du mouvement est, dès sa première phase, indéniable, son expression reste limitée. Car l'Ezln entend éviter de se laisser circonscrire à une perspective locale, comme voudrait l'y contraindre le gouvernement. Il lui faut donc souligner que sa «lutte est nationale et ne se limitera pas uniquement à l'État du Chiapas» (6 janvier 1994) et qu'il «n'est pas l'Armée zapatiste de libération chiapanèque» (12 octobre 1994). Mais, dans le même temps, la thèse officielle selon laquelle il s'agit d'un soulèvement manipulé par des métis extérieurs aux communautés invite au contraire à revendiquer cette dimension : «Le gouvernement dit que ce n'est pas un soulèvement indigène, mais nous pensons que si des milliers d'indigènes se soulèvent, alors oui, c'est un soulèvement indigène» (6 janvier 1994). L'Ezln se trouve ainsi dans l'obligation de contrer en même temps le discours qui dénonce un mouvement sans représentativité indigène, voire lié à des guérillas étrangères, et le risque d'être relégué dans une problématique locale et exclusivement indigène. Marcos explique que, durant la préparation du soulèvement, les membres des comités zapatistes considéraient indispensable que l'insurrection n'apparaisse pas comme «une guerre d'indigènes, mais [comme] une guerre nationale. Ils disaient : il ne faudrait pas que celui qui n'est pas indigène ne se sente pas inclus (...) Ils voyaient d'un mauvais œil lorsque le discours partait trop du côté indigène. Ils me disaient : "Tu donnes beaucoup dans l'indigène ; les gens vont penser que notre mouvement est local, qu'il est ethnique"» (RZ). Selon ce récit, on assiste à un étonnant travail d'élaboration mené par des indigènes qui refusent de s'enfermer dans l'ethnicité, au point de réprimander le métis qui insiste trop sur leur identité indigène ! Il y a sans doute, dans cette situation qui n'est paradoxale qu'en apparence, un aspect d'opportunité politique, mais aussi une raison de fond, puisque l'Ezln entend effectivement donner à sa lutte une dimension nationale. Il existe donc d'emblée une dimension indigène évidente et assumée, mais limitée par la prééminence attribuée à la perspective nationale. Puis, au fil des années, la place de la question indigène dans le discours zapatiste s'amplifie car, ayant rencontré un large écho et suscité un débat dans le pays, elle cesse alors d'apparaître contradictoire avec la perspective nationale revendiquée par l'Ezln. Ainsi, en 1995, le premier thème traité lors des dialogues de San Andrés concerne les «Droits et culture indigènes», consacrant ainsi la priorité acquise par la question indigène, désormais nationale.

On peut se demander si la relative discrétion initiale de la revendication indigène n'a pas été favorisée par les origines marxistes de l'Ezln (pour ne pas dire, avec les détracteurs du zapatisme, qu'elle révèle leur véritable pensée, ensuite occultée). En effet, le marxisme, du moins dans ses versions orthodoxes, a souvent négligé la dimension ethnique, considérant celle-ci comme un leurre masquant les véritables oppositions de classe. Marcos admet ce problème, aux origines de l'Ezln, lorsqu'il affirme que l'élaboration théorique des FLN « comme le marxisme, laissait de nombreux trous (...). Et l'un des plus graves était celui de la question indigène» (RZ). Il est donc probable que la formation des premiers membres de l'Ezln ait contribué, dans un premier temps, à limiter la dimension indigène du mouvement. Mais il faut aussi rappeler que la rencontre entre militants et communautés a profondément transformé le rapport à la question indigène. On peut donc imaginer une interaction profonde qui prépare l'évolution ultérieure et l'intégration de la dimension indigène, sans quoi l'Ezln serait resté une guérilla traditionnelle, insensible à la question ethnique et extérieure, voire hostile aux communautés, comme la plupart des organisations latino-américaines, telles que les FARC, ou encore à la manière des sandinistes qui, une fois au pouvoir, ont reproduit le schéma de la nation homogène et se sont laissé prendre dans la spirale d'un conflit dévastateur avec la population miskito.

De ce point de vue aussi, les zapatistes ont produit un dépassement des schémas classiques de la guérilla latino-américaine. Du reste, la tendance marxiste à ignorer ou à sous-estimer la question ethnique – au nom de la lutte de classe, du souci de la construction de l'État, ou de l'internationalisme prolétarien – ne fait, au moins en ce qui concerne le second cas, que repro-

duire un trait propre à l'idéologie bourgeoise qui s'emploie, au moment d'imposer sa domination, à faire disparaître toutes les différences autres qu'économiques et
à les fondre dans une égalité juridique abstraite dont
l'État national est le cadre privilégié. Dans le cas du
Mexique, les paroles de José María Mora, l'un des principaux leaders libéraux de l'époque de l'Indépendance,
ne sauraient être plus claires : « Que seules les différences économiques soient reconnues dans la société
mexicaine ; que l'on efface le mot Indien de la langue
officielle et *que soit déclarée officiellement l'inexistence
des Indiens* » (1824). C'est bien la bourgeoisie libérale
du XIXe siècle qui avait, la première, intérêt à la plus
expéditive *négation* de la question ethnique (et il est
inutile de rappeler combien de nations ont construit
l'essor du capitalisme sur le génocide indigène). On
voit mal alors comment ne pas faire la critique de ce
déni de la dimension ethnique, qui a conduit tant de
mouvements inspirés par le marxisme à reproduire la
même logique et parfois la même dérive assassine, et
comment ne pas reconnaître au zapatisme le mérite
d'avoir dépassé cette limitation en démontrant la cadu-
cité du décret d'inexistence des Indiens rêvé par Mora !

Peut-on pour autant qualifier l'Ezln de mouvement
ethnique ? En premier lieu, on précisera qu'on ne saurait le définir autrement que comme une organisation
pluri-ethnique, puisqu'elle regroupe en son sein au
moins six ethnies différentes du Chiapas. Cela signifie
très concrètement un effort pour harmoniser des positions volontiers différentes (pour des raisons régionales autant qu'ethniques, Los Altos, la Selva et la zone
nord étant très différents par leur histoire et leurs pro-

blèmes actuels), et pour maintenir un équilibre entre les différentes ethnies représentées au sein du CCRI (le fait que le chef militaire et porte-parole de l'Ezln soit un métis y ayant sans doute contribué notablement). Cela oblige sans aucun doute à un travail de convergence entre des cultures et des langues cousines mais néanmoins distinctes (difficulté parfois résolue par l'usage de l'espagnol, ou par celui du tzeltal, faisant dans la Selva office de *lingua franca*, voire par le recours, comme lors du Congrès indigène de 1974, à des traductions directes entre langues indigènes). L'Ezln ne peut donc fonder sur l'ethnicité une quelconque prétention à l'homogénéité : au contraire, la pluri-ethnicité qui le caractérise oblige *déjà* à une reconnaissance des différences et à un travail pour les réunir dans un projet commun. D'autre part, on remarquera qu'il n'existe pas, dans les langues indigènes du Chiapas, de mot signifiant «indigène» : dans chaque langue, une expression permet de s'autodésigner comme ethnie particulière, mais aucun terme n'englobe toutes les ethnies dans un concept commun, comme il est usuel en espagnol et dans les autres langues latines. C'est seulement pour les Européens – à la suite de Cristóbal Colón qui nomma par erreur «Indiens» tous les peuples du continent – que les indigènes forment une catégorie homogène (définie négativement par le fait de parler une langue autre que l'espagnol). Mais pour les «indigènes» eux-mêmes, l'indigénité est d'abord faite de *diversité*; et s'ils utilisent aussi le mot «indigène» en espagnol, par exemple dans le nom donné au Congrès national indigène, cela signifie qu'ils s'efforcent de construire cette indianité générique en partie *contre* leurs propres langues. L'Ezln ne saurait donc exalter l'essence pure d'une ethnie particulière, mais doit au contraire s'efforcer de conjoindre des différences. Il n'est donc pas question ici d'une identité jalouse, mais d'appartenances avides d'interactions et refusant de fonder le respect de soi sur le mépris de l'autre. Les Tzotzils et les Tzeltals ne sont pas les Tutsis et les Hutus, ni les Serbes et les Bosniaques.

Au reste, la question ethnique en Amérique latine se pose en des termes sensiblement distincts de ceux dont les Européens ont l'habitude. En Europe, le problème est lié aux processus de formation et de recompositions/décompositions des États, notamment au cours des XIXᵉ et XXᵉ siècles, qui engendrent au sein de nombre d'entre eux l'existence de minorités ethniques, avec toutes ses conséquences en termes de domination, d'injustice et de revendications indépendantistes de la part de groupes qui s'estiment soumis à l'autorité d'un État qu'ils ne reconnaissent pas comme leur. En Amérique, *où aucun groupe ethnique ne revendique son indépendance*, existe un passif historique bien différent : la violence inaugurale perpétrée il y a 500 ans et prolongée sous des formes diverses jusqu'à aujourd'hui a créé un écart social abyssal entre les peuples indigènes et les populations européennes ou métisses. La différence ethnique recouvre donc non seulement un profond divorce culturel, mais aussi un fossé social vertigineux (à Mexico, pour un jeune des rues, quiconque possède une belle voiture est « un Blanc », même s'il a la peau aussi foncée que la sienne : le vocabulaire ethnique possède en réalité un sens social). En Amérique latine, la question ethnique n'est pas du même ordre que celle des minorités européennes frustrées d'indépendance nationale. Au reste, il ne s'agit jamais d'un affrontement entre deux ethnies, mais d'une tension entre une multitude d'ethnies différentes et des groupes dominants qui, sous la forme coloniale ou celle de l'Étatnation, leur ont imposé *à toutes* cinq siècles d'exploitation et de domination (de manière singulière et quelque peu provocante, l'annonce de la marche sur Mexico rompt avec ce schéma, en nommant les membres de la délégation zapatiste «représentants des ethnies tzotzile, tzeltale, tojolabale, chole, zoque, mame et *métisse*», 2 décembre 2000). De toute évidence, en Amérique latine, la question indigène est d'emblée une question sociale.

Il est indéniable que l'Ezln possède une base ethnique et déploie des revendications ayant un caractère ethnique, comme en témoigne sa lutte prolongée pour l'application des accords de San Andrés relatifs aux «Droits et culture indigènes». À l'évidence, le «cocktail» zapatiste intègre de nombreux aspects enseignés par la culture indienne (rapport à la temporalité, sens de la collectivité, relation avec la terre et les éléments naturels) et dont se font l'écho à leur manière les récits du vieil Antonio. En bref, le zapatisme possède une dimension (pluri-)ethnique, ou pour mieux dire une *dimension indigène*, expression qui a l'avantage de désigner une conception particulière du rapport à l'ethnicité. Mais l'Ezln ne saurait se réduire à cette dimension, pour indéniable qu'elle soit. Outre la revendication d'une perspective nationale, il faut souligner le souci permanent des zapatistes de ne pas ériger une barrière entre indigènes et non-indigènes, de s'efforcer, par et *dans* la lutte, de faire disparaître la ségrégation socio-ethnique existante. Ainsi, une lettre déjà citée, envoyée à une organisation indigène du Guerrero, délivre son message « en notre nom, en votre nom, au nom de tous les indigènes de Mexico, au nom de tous les indigènes et non-indigènes mexicains, au nom de tous les hommes bons et de bon chemin » (1er février 1994). Plus clairement encore, le discours inaugural de l'Ezln, lors du Forum national indigène, met en garde les délégués présents en précisant : « Nous sommes indigènes et nous avons souffert des siècles de mépris, de persécution, d'oubli, de mort. De nombreuses fois, le bourreau avait la peau claire, mais d'autres fois la mort et la trahison avaient la peau brune et notre propre langue. Et le bon chemin se trouve aussi dans la parole d'hommes et de femmes à la peau claire et à la langue différente » (3 janvier 1996). Loin d'être la mesure absolue du bien et du mal, le critère ethnique est ici relativisé, sans quoi il risquerait de verser, au nom d'une histoire de souffrance, dans un désir stérile de revanche : « Nous ne pouvons pas combattre le racisme que pratique le puissant avec un miroir qui montre la même chose mais à l'envers : la même déraison et la même intolérance, mais cette fois-ci contre les métis. Nous ne pouvons pas combattre le racisme contre les indigènes en pratiquant un racisme contre les métis. »

Ainsi, l'Ezln met clairement en garde contre toute absolutisation raciale (et raciste) de l'indigénité : « Ce n'est pas la couleur de la peau qui fait l'indigène, mais la dignité et le désir de toujours lutter pour être meilleur. Nous tous qui luttons sommes frères, sans qu'importe la couleur de la peau ou la langue que nous apprennons en même temps que la marche» (12 octobre 1995). Et, un an auparavant, un texte plus combatif rappelait que le critère social peut toujours contredire le fait ethnique et doit alors primer sur lui : «Certains ont la peau claire et la douleur foncée. Avec eux chemine notre lutte. Certains ont la peau brune et la superbe blanche; contre eux aussi est dirigé notre feu. Notre espérance en armes n'est pas contre le métis, mais contre la race de l'argent. Elle ne s'avance pas contre une couleur de peau, mais contre la couleur de l'argent. Elle ne s'avance pas contre une langue étrangère, mais contre le langage de l'argent» (12 octobre 1994). Et, si la Marche de la dignité indigène affirme comme un leitmotiv être la marche de «ceux qui sont de la couleur de la terre», elle indique qu'étant la marche des indigènes elle doit être aussi la marche des non-indigènes et qu'elle veut être «couleur avec toutes les couleurs qui revêtent la terre», «toutes les couleurs qu'en bas nous sommes», n'en excluant qu'une seule, «la couleur de l'argent» (11 mars 2001). Ainsi, comme la plupart des expériences latino-américaines qui donnent à voir des mouvements indiens mais non indianistes (Y. Le Bot), l'Ezln est un mouvement indigène qui refuse de s'enfermer dans une perpective strictement ethnique. Il manifeste sa méfiance à l'égard de toute idéalisation ou essencialisation d'une supposée «identité» indigène, pour promouvoir une conception ouverte de l'ethnicité, toujours articulée à la dimension sociale et englobée dans une perspective plus vaste qui associe indigènes et non-indigènes.

Il faut, pour pouvoir confirmer cette conclusion, examiner une question qui s'est trouvée au cœur des revendications indigènes de l'Ezln : la demande d'autonomie. Déjà énoncée lors du dialogue de la cathédrale en mars 1994, son importance n'a fait que se renforcer lorsque les discussions de San Andrés se sont concentrées sur la question indigène. Dans les années suivantes, l'autonomie cristallise les débats suscités par les accords de San Andrés, ainsi que le refus gouvernemental de les mettre en application. Selon la vision issue des sphères officielles, l'autonomie, tendancieusement assimilée à une revendication séparatiste, mettrait en péril l'unité nationale. Pour d'autres critiques, l'autonomie prévue par les accords de San Andrés serait dommageable pour les indigènes eux-mêmes, car elle ne ferait que les isoler davantage et renforcerait la ségrégation dont ils sont victimes, alors que la solution consisterait à les intégrer au reste de la nation sur un pied d'égalité. En outre, elle risquerait de conduire à un repli communautaire, porteur d'autoritarisme et de fondamentalisme, de sectarisme et de violence. Cette argumentation, sans doute un peu mieux informée et dépourvue de la mauvaise foi zedilliste, semble cependant partager avec elle une même conception de la nation, assimilant unité et homogénéité. Car si l'autonomie zapatiste ne répond à nul projet indépendantiste et n'a pas davantage l'autarcie pour idéal, on peut aussi indiquer qu'il existe, dans de nombreux pays, des régions autonomes et même indigènes (comme celle qui regroupe les peuples inuits du Canada), sans que l'unité nationale en ait souffert davantage que du fait d'une structure étatique fédéraliste (qui est du reste celle du Mexique lui-même!), et sans que les indigènes aient eu, semble-t-il, à s'en plaindre.

Mais c'est à peine s'il est nécessaire de recourir à une telle comparaison, car les accords de San Andrés, et plus encore le projet de réforme constitutionnelle rédigé par la COCOPA et accepté par l'Ezln, ne prévoient pas une autonomie régionale du type de celle que l'on vient d'évoquer, mais conçue à partir du niveau communautaire et municipal (avec la possibilité d'une association entre municipes). Cette modération a du reste provoqué la critique d'autres organisations indigènes, considérant que l'absence de référence à l'autonomie régionale rendait trop limité le projet de réforme issu des accords de San Andrés (H. Díaz-Polanco). On voit d'autant plus mal où serait le risque pour l'unité nationale. De quoi s'agit-il alors? L'objet fondamental des accords de San Andrés sur «Droits et culture indigènes» est la création «d'une nouvelle relation entre les peuples indigènes [de tout le Mexique] et l'État»; celle-ci est fondée sur la reconnaissance du «droit à la libre détermination des peuples indigènes» (conformément à la convention 169 de l'Organisation internationale du travail, consacrée aux Peuples indigènes et tribaux dans les pays indépendants, et ratifiée par le Mexique) et admet que «l'autonomie est l'expression concrète de l'exercice de ce droit», afin de «contribuer à l'unité et à la démocratisation de la vie nationale et fortifier la souveraineté du pays». S'ensuit la définition, pour les peuples indigènes, d'une autonomie politique («décider de leurs formes de gouvernement interne», «élire leurs autorités et exercer leurs formes de gouvernement interne conformément à leurs propres normes »), juridique (la possibilité « d'une résolution des conflits internes... sur la base de leurs systèmes normatifs », tout « en respectant les garanties individuelles, les droits de l'homme et en particulier la dignité et l'intégrité des femmes »), économique (par le transfert des ressources de l'État nécessaires au fonctionnement des entités autonomes, et la gestion collective des ressources naturelles « à l'exception de celles dont le contrôle correspond à la nation »), à quoi s'ajoutent les aspects culturels déjà mentionnés en mars 1994 (y compris en matière d'éducation, de langues et d'accès aux moyens de communication).

Certes, l'autonomie n'est pas sans risque. Le renforcement des pouvoirs locaux peut toujours faire le jeu des pires caciquismes (mais le caciquisme indigène s'est surtout développé à travers les manipulations du parti-État qui y voyait un moyen de garantir son propre contrôle sur les communautés, ainsi que les votes dont il avait périodiquement besoin). La référence à la « tradition », comme base pour définir les règles de gouvernement et les normes juridiques autonomes, n'est pas non plus sans ambiguïtés. Certes, la tradition, dans toutes les sociétés qui la revendiquent comme principe, n'est jamais que le référent imaginé au nom duquel se définissent des relations sociales présentes, en permanente transformation. Au reste, ni la partie des accords de San Andrés ayant une portée fédérale, ni la proposition de réforme rédigée par la COCOPA ne fondent l'autonomie sur la notion controversée d'« us et coutumes », et celle de « tradition » y est moins présente que l'idée de « normes » reconnues par les populations indigènes. On pourra cependant accorder aux critiques de l'autonomie que «la tradition» ou même «les normes» en question demeurent imprécisées, concédant ainsi aux populations indigènes un espace politique et juridique, sans en définir clairement les règles du jeu, ce qui pourrait en effet provoquer une multiplication des conflits au sein des communautés et des municipes indigènes. L'argument n'est pas absurde, mais il trouve sa limite dans le fait de déprécier la capacité des indigènes à résoudre leurs problèmes, comme si, livrés à eux-mêmes, ils ne pouvaient qu'engendrer désordres et violences incontrôlables. Mais, au total, on admettra sans peine que l'autonomie *en soi* n'est qu'un cadre à peu près vide, dont l'usage reste à définir, et par conséquent porteur de menaces autant que d'espérances, selon que prévaut le caciquisme et le conservatisme sectaire ou bien le désir d'une communauté démocratique, ouverte et désireuse de se transformer. L'autonomie est finalement un espace de liberté et de reconnaissance pour les peuples indigènes, qu'eux-mêmes décideront d'utiliser pour le meilleur ou pour le pire, en fonction du projet politique et social qui prédominera parmi eux. La question fondamentale n'est donc pas tant celle des droits juridiquement définis dans une réforme constitutionnelle relative à l'autonomie, mais plutôt celle-ci : l'autonomie *par rapport à quoi ? et pour quoi ?*

Quelle est donc la conception zapatiste de l'autonomie, telle qu'elle se manifeste notamment dans l'expérience des municipes autonomes ? En premier lieu, un tel projet d'autonomisation n'a de sens que parce qu'il s'agit d'échapper à une réalité tenue pour injuste et oppressive. Il est né en réaction au contrôle des caciques associés aux forces locales du parti officiel, à un régime politique national peu démocratique marqué par les excès du présidentialisme, le clientélisme et la corruption d'un système de parti-État moribond. Mais on suggérera aussi que l'autonomie prend un sens supplémentaire dans le contexte de la mondialisation néolibérale. La revendication d'autonomie est alors une tentative pour échapper au modèle planétaire imposé par les forces de la marchandisation, et cela au nom d'une spécificité culturelle et historique. Comme on le verra plus avant, l'expérience zapatiste invite à saisir une tension entre globalisation et autonomie, et revendique une défense de la particularité des lieux contre la standardisation marchande et médiatique.

Si l'on se demande maintenant à quel projet doit servir l'autonomie selon les zapatistes, il n'est guère difficile de répondre qu'elle relève d'un projet de *transformation sociale*. L'autonomie ne vise pas pour eux à reproduire la domination des caciques, ni l'excessive hiérarchisation d'un système de « charges » qui concentre traditionnellement le pouvoir aux mains des anciens et reproduit un schéma de domination et d'exclusion des femmes. Il s'agit de construire un système d'autogouvernement rénové – même si c'est au nom de la tradition, qui n'est alors qu'une manière d'asseoir ce projet de transformation sur le socle d'une histoire propre aux peuples indigènes. Même lorsqu'ils reprennent le système des « charges », surtout en usage dans Los Altos, les municipes autonomes l'associent à la revitalisation des assemblées, à la substitution périodique des responsables (avec la possibilité d'une révocation immédiate) et aux principes politiques qui, tels le *mandar obedeciendo*, rappellent que les responsables sont les serviteurs de la collectivité. Enfin, les municipes autonomes reconnaissent le rôle fondamental des femmes, qui brandissent les «Lois révolutionnaires des femmes» comme une arme bien utile pour revendiquer une égalité qui, comme partout dans le monde, est toujours à conquérir. En bref, l'idée zapatiste d'autonomie, même si elle se réfère à la tradition et à la coutume, n'est pas un projet de répétition conservatrice du passé, mais au contraire de transformation sociale. Au reste, n'importe quel membre des municipes autonomes le dirait : la tradition n'est pas nécessairement bonne; il faut garder ce qu'elle suggère de positif et se débarrasser de ce qui ne convient plus. Et la commandante Esther le rappelle à la tribune du parlement : «Nous les femmes, savons lesquels des us et coutumes sont bons et lesquels sont mauvais» (28 mars 2001).

Mais on aurait encore une idée tronquée de l'autonomie zapatiste si l'on pensait qu'elle ne concerne que les indigènes. Les municipes proclamés par l'Ezln se dénomment «autonomes» ou «rebelles», tandis que c'est la délégation gouvernementale à San Andrés qui a refusé l'expression de «municipes autonomes» pour imposer celle de «municipes indigènes» (ou de «municipes à population majoritairement indigène»). C'est donc l'autorité de l'État qui a choisi de renforcer la perspective ethnique, tandis que la terminologie zapatiste apparaissait plus ouverte et mieux à même d'intégrer les non-indigènes. Dans un texte important qui explique la portée des accords de San Andrés et leurs limites, l'Ezln indique qu'il s'agit de «construire des

instances autonomes qui, sans être exclusivement indigènes, font partie de la structure de l'État et rompent
avec le centralisme», et précise que l'autonomie est
conçue «dans le contexte d'une lutte nationale beaucoup plus ample et diverse, comme un élément de
l'autonomisation de la société civile dans son ensemble.
Il est parfaitement clair pour l'Ezln qu'il n'est pas possible de triompher de l'ancien régime grâce à la seule
autonomie indigène, et que cela ne sera possible
qu'avec l'autonomie, l'indépendance et la liberté de
tout le peuple mexicain» (15 février 1996). Ainsi, l'autonomie zapatiste ne concerne pas seulement les
peuples indigènes ; elle est une forme d'organisation
politique décentralisée et participative, que déjà Zapata
s'efforçait de faire naître sous le nom de «municipe
libre», et qui vaut donc pour tous les Mexicains. Ainsi,
en stricte conformité avec les conceptions analysées
dans le premier chapitre, l'autonomie zapatiste – autonomie du peuple autant qu'autonomie indigène – n'est
rien d'autre que l'autogouvernement de la société l'em-
portant sur la logique du pouvoir d'État.

Entrelacer l'ethnique, le national et l'international

On peut maintenant admettre que l'Ezln est un mouvement indigène qui promeut une conception ouverte
de l'ethnicité, articulée à la dimension sociale et englobée dans une perspective plus vaste qui associe indigènes et non-indigènes. Même la vision zapatiste de la
question indigène ne tend nullement à isoler les
peuples indiens, mais propose au contraire un projet

de nation qui intègre les indigènes sur un pied d'égalité, tout en reconnaissant leurs différences : «Jamais plus un Mexique sans nous!» est le cri qui exprime cette revendication. Et il est remarquable de constater (surtout de la part d'un groupe que ses adversaires politiques s'obstinent à considérer comme une organisation militaire ayant défié et déclaré la guerre à l'État mexicain) que la Marche pour la dignité indigène visait une incorporation des indigènes à la nation, désireuse de s'accomplir par la reconnaissance de ses symboles et de ses institutions et, nécessairement aussi, par le fait d'être reconnus par elles : le drapeau national («Mexique, ne permets pas que le jour se lève de nouveau sans que ce drapeau contienne une place digne pour nous, qui sommes la couleur de la terre», conclut Marcos lors de l'entrée dans la capitale, 11 mars 2001) ; la tribune du Congrès, dont l'ouverture à la parole indigène suffirait presque à sanctionner leur reconnaissance par la nation et permet du moins d'affirmer «maintenant, dire "indien", c'est dire "digne"» (1er avril 2001), et enfin la Constitution (la réforme constitutionnelle sur droits et culture indigènes n'étant rien d'autre qu'«un lieu digne pour la couleur de la terre», 11 mars 2001). C'est que la question indigène est intégralement pensée comme un enjeu national, qui touche à la construction et à la défense du Mexique tout entier : «La question indigène est nationale. Non seulement parce qu'il y a des indigènes dans tout le territoire mexicain ou parce qu'ils sont une part essentielle de l'histoire de ce pays. Mais aussi parce que leur différence aspire à devenir unité avec les autres différences qui font le Mexique d'aujourd'hui. Reconnaître cette différence dans la loi suprême de la République et l'inclure dans un projet de nation libre, indépendante et souveraine, c'est faire justice et rendre possible la défense de la patrie face à sa liquidation commerciale au rabais » (24 janvier 1997).

Comme on l'a dit déjà, les accusations d'être dirigés par des métis, voire par des étrangers, et leurs propres craintes d'être enfermés dans une lutte locale (ce que le gouvernement de Zedillo s'est efforcé de faire en déclarant que le conflit zapatiste était limité à « quatre municipes du Chiapas »), plaçaient l'Ezln sous des feux croisés, lui imposant d'insister sur sa double dimension, indigène et nationale, dans des proportions variables selon les circonstances. Mais la dimension nationale est pleinement assumée par l'Ezln, bien au-delà des nécessités tactiques, et son patriotisme est démonstratif : dans toutes ses fêtes et célébrations, on chante l'hymne national autant que l'hymne zapatiste, et l'on rend hommage au drapeau mexicain. On se souvient aussi de Marcos déployant l'aigle et le nopal du drapeau durant le dialogue dans la cathédrale et mettant par ce geste le délégué gouvernemental en déficit de patriotisme. On rappellera encore l'importance accordée à l'histoire nationale dans les communiqués, au point d'occulter presque entièrement toute référence à l'histoire chiapanèque ou indigène. De toute évidence, c'est avec orgueil que les zapatistes ne cessent de répéter : « Nous sommes mexicains ! », ou encore « Avec les peuples indiens ! Vive le Mexique ! » (commandante Esther, 28 mars 2001). Une telle insistance a souvent surpris les sympathisants du zapatisme venus du Vieux Continent, où le nationalisme évoque presque immédiatement un chauvinisme suspect. Sans vouloir le justifier, on notera cependant que le patriotisme n'a pas le même sens pour les nations dominantes ou pour celles qui, habituées aux invasions et aux amputations territoriales, ont subi cette domination. Au Mexique, le nationalisme est essentiellement défensif, anti-américain ; il est l'expression d'un État qui a toujours eu du mal à exister dans l'ombre envahissante du grand voisin du Nord.

Dans le cas du zapatisme, le souci de la dimension nationale a un double sens. Certains ont souligné qu'il constituait un « mouvement vers l'extérieur et non un mouvement vers l'intérieur », qui donne à « national » le sens de « pas seulement chiapanèque ou pas seulement indigène » plutôt que de « non étranger » (J. Holloway). Pourtant, cette signification, indéniablement présente, ne paraît pas pouvoir rendre compte entièrement du nom même de l'Ezln, qui revendique une lutte de « libération nationale ». Certes, cette formule apparaît comme un héritage de l'époque des luttes anti-impérialistes (celle des FLN) que l'Ezln semble s'efforcer de dépasser en réinterprétant l'expression dans une perspective expansive (jusqu'au national), autant que comme un repli (dans les limites nationales). C'est bien ainsi que la quatrième Déclaration de la Selva justifie le nom donné au FZLN : « une force politique qui se nomme "de libération nationale" parce que sa lutte est pour la liberté de tous les Mexicains et dans tout le pays » (1er janvier 1996). Mais il n'en va pas toujours ainsi. Le nationalisme zapatiste dénonce souvent la trahison des gouvernants, accusés de « vendre la patrie » aux États-Unis, et la quatrième Déclaration affirme aussi : « Notre lutte est pour la patrie, et le mauvais gouvernement rêve de la langue et du drapeau étrangers. »

L'idée d'une lutte de libération nationale est également fondée sur une analyse de la mondialisation néolibérale, qui affaiblit les États nationaux, désormais incapables de résister aux injonctions des marchés et des organismes financiers internationaux, et obligés de se dépouiller sur une *table dance* de leurs attributions traditionnelles, pour ne conserver que le strict minimum sécuritaire. Dans les *Sept Pièces éparses du casse-tête mondial*, le sous-commandant réitère la pertinence d'une lutte de libération nationale : « Les zapatistes pensent que la défense de l'État national est nécessaire face à la globalisation et que les tentatives pour diviser le Mexique en morceaux viennent du groupe dirigeant et non des justes demandes d'autonomie pour les peuples indiens » ; « Les zapatistes pensent que, au Mexique (attention : au Mexique) la récupération et la défense de la souveraineté nationale font partie de la révolution antinéolibérale. » Ainsi, si la globalisation porte atteinte à l'État-nation, la lutte contre le néolibéralisme passe par une défense de celui-ci. Il faut alors comprendre que la lutte de libération nationale est, dans les faits, une lutte contre l'omnipotence des États-Unis et contre la puissance des marchés et d'un FMI qui dicte sa loi et étrangle les nations. Cette logique pourra ne pas convaincre, mais du moins devra-t-on reconnaître que Marcos met en garde contre toute interprétation qui prétendrait lui donner une portée planétaire : il ne parle que du Mexique, et peut-être plus largement des pays latino-américains, dont les peuples subissent particulièrement durement la domination nord-américaine et les politiques d'«ajustement structurel» décidées par les instances du capitalisme globalisé.

Surtout, une telle affirmation ne peut être isolée, car elle s'inscrit dans une série de tensions dynamiques qui en modifient le sens. En premier lieu, on doit rappeler l'existence d'une forte contradiction entre société civile et État (au point que certains pensent, non sans exagération, que les textes zapatistes suggèrent la perspective d'une disparition de l'État). Il ne saurait donc s'agir ici d'une exaltation absolue du cadre étatique national, puisqu'en même temps, l'Ezln lutte contre l'obsession du pouvoir d'État et revendique la primauté de la société et son autogouvernement. La question est alors de savoir si un État national, capable de résister aux effets de la globalisation capitaliste, serait pour la réalisation de cet objectif un cadre plus adéquat que sa dissolution tendancielle (ce dont on peut douter au vu de l'opposition viscérale que le projet d'autonomie indigène a suscitée chez les tenants du modèle traditionnel de l'État-nation). Ou si, à l'inverse, l'État-nation ne serait pas un obstacle au but poursuivi par les zapatistes, au point que certains analystes suggèrent d'étranges affinités entre les revendications d'autonomie et la vision néolibérale d'un État amaigri et trop heureux de se débarrasser d'anciennes responsabilités (de fait, l'argument paraît crédible s'agissant de la Bolivie par exemple, mais il ne correspond pas à l'évolution mexicaine, du moins jusqu'à l'élection de V. Fox). Quoi qu'il en soit, on ne saurait séparer les éléments constitutifs de la double logique zapatiste : l'État contre la globalisation néolibérale, mais aussi la société contre l'État. Il s'agit de défendre l'État national pour se préserver de l'imposition des règles de la globalisation financière, mais tout autant de transformer les rapports au sein de la nation pour faire prévaloir la société civile sur le pouvoir.

En second lieu, l'articulation entre le national et l'international interdit d'associer le patriotisme zapatiste à un repli identitaire et à un rejet de l'étranger. On voit mal en effet comment considérer le souci zapatiste de la nation comme une fermeture, dès lors qu'il se combine à une insistante perspective planétaire : la lutte pour l'humanité et contre le néolibéralisme mondialisé. La Rencontre intercontinentale organisée par les zapatistes en 1996 n'est-elle pas le premier événement internationaliste remarquable des décennies récentes ? Et peut-on accuser de chauvinisme ceux qui invitent à « construire l'internationale de l'espérance... par-dessus les frontières, les langues, les couleurs, les cultures, les sexes », et qui affirment aussi : « La dignité est cette patrie sans nationalité, cet arc-en-ciel qui est aussi un pont, ce murmure du cœur qui ne se soucie pas du sang qui le vit, cette irrévérence rebelle qui se moque des frontières, des douanes et des guerres » ? Pour qui douterait encore que le patriotisme zapatiste est en même temps une critique du repli identitaire et xénophobe, on citera également ce récit : « Au lieu de se passionner pour la xénophobie, le vieil Antonio prenait du monde entier tout ce qui lui paraissait bon, sans qu'importe la terre qui l'avait fait naître. Lorsqu'il se référait aux personnes bonnes d'autres nations, le vieil Antonio utilisait le mot "les internationaux" ; et le terme "les étrangers", il l'utilisait seulement pour les étrangers au cœur, sans qu'importe qu'ils fussent de même couleur, langue et race que lui. *"Parfois, jusque dans le même sang, il y a des étrangers"*, disait le vieil Antonio pour m'expliquer l'absurde bêtise des passeports» (mai 2000). Ainsi les zapatistes se préoccupent-ils de désarticuler le sens même des mots pour éviter qu'ils servent à construire le chauvinisme et la xénophobie. Entre l'espérance d'une patrie supranationale et la dénonciation des étrangers de même nationalité : tel est l'espace strictement balisé que les zapatistes accordent au sentiment patriotique.

Ce n'est pas là seulement affaire de discours. Le zapatisme international est l'une des dimensions constitutives du mouvement. Un courant de solidarité internationale avec les communautés rebelles du Chiapas a existé et acquis une importance non négligeable dans certains pays. Les zapatistes ont pris soin de préciser que cette solidarité ne devait pas être conçue comme une aide humanitaire ou un simple soutien apporté de l'extérieur et par conséquent dissymétrique, mais au contraire comme un échange d'égal à égal. Les sympathisants du Mexique ou d'autres pays ont donc été invités à se rendre dans les communautés en rébellion autant pour donner que pour recevoir, pour enseigner mais aussi pour apprendre, pour assurer protection et mission d'observation mais sans oublier qu'il s'agissait en même temps d'une expérience qui, pour beaucoup de visiteurs, a signifié une transformation personnelle profonde. Pour les communautés également, il en a résulté une expérience inédite d'ouverture au monde. Celle-ci n'a pas toujours été sans difficulté, créant parfois discordes ou mauvaises habitudes. Les visiteurs occidentaux n'ont pas toujours été à la hauteur de cette rencontre, se montrant parfois plus soucieux d'enseigner que d'apprendre, trop pressés pour prendre le temps d'écouter et d'observer, trop sûrs d'eux-mêmes et de l'importance du projet qu'ils voulaient en toute bonne foi partager avec les communautés. Mais ces échanges, préservant toujours une certaine distance, ont aussi participé à la construction de la dignité indigène, surprise et quelque peu flattée de se sentir au centre de l'attention du monde entier. Ils ont porté la curiosité vers des mondes lointains aux mœurs et aux climats étranges, suscité l'appétit d'incorporer de nouvelles connaissances et de nouveaux horizons. Même chargée de bien des défauts, il s'est agi d'une rencontre étonnante, découverte de différences et indéniable effort d'ouverture.

Ainsi, l'un des traits les plus remarquables de l'expérience zapatiste tient à sa manière d'articuler trois niveaux – le local et l'ethnique, le national, l'international – de telle sorte qu'aucun des trois ne puisse être compris hors de sa relation avec les deux autres. Certes, on ne saurait nier qu'aient pu se produire des chocs ou s'affirmer des priorités indues dans la conduite tactique ou stratégique de ces trois perspectives. Par exemple, on a pu critiquer le fait que la question des «Droits et culture indigènes» ait été choisie comme premier thème des dialogues de San Andrés, reléguant ainsi en seconde position la négociation sur «Démocratie et justice», dont la portée nationale était assurément plus générale. Sur le moment, le choix pouvait se justifier par la nécessité de donner la primauté aux demandes des acteurs les plus directs du

soulèvement, et par le fait que le second round de négociation devait s'engager rapidement, de sorte que cette
décision ne signifiait nullement un désintérêt de l'Ezln
pour la réforme politique nationale (comme le
confirme la convocation d'un forum pour la réforme de
l'État, en juin 1996). Pourtant, *a posteriori*, considérant
que le dialogue a été suspendu sans que le thème
«Démocratie et justice» ait pu être négocié, on peut en
effet se demander si la priorité donnée à la question
indigène n'a pas été une erreur. Car, dans la situation
de blocage imposée par le gouvernement zédilliste
durant les années 1997-2000, l'Ezln s'est trouvé
contraint de concentrer ses efforts sur la mobilisation
en faveur de l'application des accords sur «Droits et
culture indigènes». Le piège gouvernemental s'est
refermé sur l'Ezln, tactiquement immobilisé sur la
question indigène et perdant du terrain quant à la
revendication d'un projet global de nation. Le choix de
1995 a provoqué, involontairement sans doute, un long
déséquilibre au détriment du national et un repli sur la
question indigène.

On peut avancer une observation de même nature
quant à la relation entre le national et l'international.
En effet, une fois passée la Rencontre intercontinentale
de 1996, la préoccupation internationale semble décliner. Une seconde Rencontre a bien été organisée en
Espagne, en 1997, par les comités de soutien européens, mais l'Ezln n'y a pris qu'une part modeste, de
même qu'à la seconde Rencontre continentale américaine, à Belem en décembre 1999. Quant au réseau des
luttes de résistance pour l'humanité et contre le néolibéralisme, proposé en 1996, il est resté à ce jour une

promesse non tenue du zapatisme international. Il serait injuste, on l'a dit, d'en imputer la responsabilité à l'Ezln, qui n'avait pas la prétention d'organiser ni de diriger un tel projet; et du reste la multiplication des manifestations contre la globalisation et le néolibéralisme, à partir de 1999, suggère que d'autres se sont emparés à leur manière de cette idée. Pourtant, on pourra regretter que l'Ezln, ayant été à l'initiative de cette idée, n'ait rien fait pour la relancer ou la remettre en jeu, car cela témoigne d'un recul de la perspective internationale au sein du mouvement zapatiste, entre 1997 et 2001. Au total, la situation créée à partir de 1997 par le blocage gouvernemental a provoqué une tendance doublement négative, de repli de l'international vers le national et de recul du national au profit de l'indigène. Il s'est agi d'une involution, tendant à défaire ou du moins à fragiliser l'équilibre entre les trois perspectives associées par le mouvement zapatiste.

Mise en péril, l'articulation des trois niveaux n'a pas pour autant été rompue, comme le montrent sa revitalisation et son rééquilibrage après le 2 décembre 2000, et notamment durant la Marche pour la dignité indigène, occasion de retrouver une dimension nationale et d'ébaucher une jonction entre le mouvement zapatiste et les luttes mondiales contre la globalisation. Du maintien de la triple logique zapatiste, même durant les plus rudes années de résistance, on donnera pour preuve les orientations du système zapatiste d'éducation secondaire, qui se construit à partir de 1998. S'agissant d'un projet autonome et indigène (mais aussi zapatiste et rebelle), on aurait pu penser que l'enseignement y serait centré sur la culture maya. Or, l'ex-

périence montre ironiquement que, si la tentation de
faire de la récupération de l'histoire et de la tradition
mayas et du renforcement de l'identité indigène l'axe
dominant du projet éducatif a bien existé, celle-ci a surtout été le fait de conseillers extérieurs inspirés par
l'anthropologie. Au contraire, sous l'impulsion des responsables indigènes, a prévalu finalement une vision
beaucoup plus ouverte, où coexistent le désir de comprendre le passé et le présent des peuples indigènes,
l'attachement réitéré aux symboles patriotiques (voire
aux lieux communs de l'histoire nationale) et une
ouverture planétaire soucieuse de l'humanité tout
entière, de ses drames anciens et de ses luttes actuelles
contre le néolibéralisme. Pour les promoteurs d'éducation de ce projet, « les principes du zapatisme ne sont
pas seulement pour les indigènes, mais pour le monde
entier ». Et s'il est souhaitable de récupérer une histoire
indigène et une culture maya occultées, il s'agit plus
encore de construire « une école des peuples du
monde » − ce qui est assez stupéfiant si l'on veut bien
prendre conscience que l'environnement n'a, en l'occurrence, rien à voir avec celui d'une métropole cosmopolite plongée dans le cyber-espace.

On peut maintenant poser quelques questions plus
générales. Quelles leçons tirer de l'expérience zapatiste ? Comment la penser dans le contexte de la globalisation néolibérale ? La revendication d'autonomie ne
risque-t-elle pas de verser dans le particularisme identitaire, arme de division maniée avec délice sous le
règne du néolibéralisme, ou simplement de faire le jeu
de l'hétérogénéité promue par ce dernier ? En quoi l'association entre la reconnaissance des spécificités

locales et une perspective planétaire est-elle fondamentalement différente de la double logique dominante
de globalisation/fragmentation ? En effet, la mondialisation de l'économie (essentiellement la libéralisation
du commerce international et la dérégulation des marchés financiers) ne crée nullement un monde uniforme.
Elle s'articule au contraire à un développement planétaire inégal et se traduit par une dualisation croissante,
tant entre les nations qu'au sein de chacune d'elles.
Tout en affaiblissant le cadre des États-nations au profit d'injonctions et d'interdépendances transnationales,
la mondialisation s'accompagne de blocages antimi-
gratoires et de replis identitaires, de multiplications des
frontières et de fragmentations politiques, appuyés sur
des formes plus ou moins fanatiques de revendications
nationalistes ou ethniques. Est donc à l'œuvre une
double logique contradictoire de globalisation (du capital et des marchandises) et de fragmentation (politique,
sociale et humaine). Marcos l'indique avec force en
août 1997 : « la multiplication des tendances sépara-
tistes » et « la pulvérisation des nations » sont caractéristiques de la « quatrième guerre mondiale », qui « produit un monde fragmenté, plein de morceaux isolés les
uns des autres (et bien souvent opposés entre eux) ». Et,
dans le texte justement intitulé *Oxímoron*, il crée l'expression paradoxale de « globalisation fragmentée »,
soulignant que « le monde est un archipel, un puzzle
dont les pièces se transforment en d'autres puzzles » et
que « la seule chose réellement globalisée est la prolifération de l'hétérogène » (avril 2000).

Mais, dans le même temps, le marché poursuit, dans
les sphères qui l'avantagent, son œuvre d'homogénéi-

sation et de banalisation spatiales engagée au siècle précédent, à tel point que l'uniformisation marchande mine sournoisement la spécificité des lieux et que les possibilités techniques de mobilité et de communication font parfois oublier la spatialité comme dimension constitutive de l'existence humaine (laquelle ne saurait être qu'en *étant là*, quelque part). Tandis que les usines et les bureaux menacent à tout moment d'être déplacés vers des pays à main-d'œuvre meilleur marché, on pourrait dire que la *délocalisation* devient une caractéristique générale du monde contemporain, dans la mesure où le paramètre spatial tend à perdre son caractère déterminant, et où la relation au lieu propre est en passe d'être oubliée comme trait fondamental de l'expérience humaine. La destruction des lieux est une technique bien connue de domination, illustrée par exemple lors de la Conquête et théorisée par Machiavel («Et qui devient seigneur d'une cité accoutumée à vivre libre et ne la détruit point, qu'il s'attende d'être détruit par elle, parce qu'elle a toujours pour refuge en ses rébellions le nom de la liberté et ses vieilles coutumes (...); si ce n'est d'en chasser ou d'en disperser les habitants, ils n'oublieront point ce nom ni ces coutumes»). Mais aujourd'hui, la domination mondialisée de la marchandise atteint une échelle inédite, et c'est pourquoi elle ne se contente pas de ruiner certains sites particuliers mais tend à la destruction systématique des lieux, à la disparition *de tous les lieux en tant que lieux,* porteurs d'expériences spécifiques. Tel est le sens que l'on peut donner à l'expression de *délocalisation généralisée,* de sorte que si l'on transpose la règle énoncée par Machiavel, l'enjeu se révèle être rien moins que la capacité de résistance de l'humanité tout entière, sa survie comme humanité véritablement humaine.

Face à ce processus d'uniformisation et de *délocalisation*, promu par la mondialisation marchande, il pourrait être légitime de revendiquer une singularité des expériences et une autonomie des lieux, susceptibles de restituer aux êtres humains et à leurs actions leur nécessaire localisation, c'est-à-dire leur relation avec les qualités singulières du site qui abrite leur vie et contribue à lui donner sens. Car il n'y a pas d'être sans lieu ni d'existence sans localisation ; et une analyse qui prend en compte la relation entre l'homme et son écoumène interdit de considérer la planète ou la biosphère comme un espace universel, homogène et sans différences, et oblige au contraire à reconnaître la singularité des lieux comme condition de l'existence *humaine* de ceux qui les habitent (A. Berque). C'est sans doute parce qu'elles paraissent livrer l'expérience d'un monde encore éminemment *localisé* que les communautés zapatistes impressionnent tant de visiteurs occidentaux et citadins. Ce trait se relie du reste à l'une des causes fondamentales du soulèvement, à savoir l'attachement à la terre et le refus de voir transformé en marchandise ce qui est non seulement un moyen de subsistance mais aussi un repère culturel fondamental, la Terre Mère («ceux qui la vendent, c'est qu'ils n'ont pas de mère», dit le major Moisés, 8 mars 2001). Et s'il serait trompeur de croire que l'horizon des communautés se réduit aux limites immédiates de la perception, leur pratique du monde moderne et de ses techniques reste du moins trop faible pour annuler la différence entre l'univers de connaissance proche et un monde lointain et presque inimaginable. En dépit de ces éventuelles illusions et sans oublier que l'autonomie est aussi celle de l'action, on croit donc utile de lier la notion d'autonomie et la *revendication des lieux*. Si l'autonomie des expériences est en même temps l'autonomie des lieux, l'autonomie peut être considérée, sans exclure d'autres perspectives, comme l'expérience des lieux propres, sauvés de la *délocalisation généralisée* et de la destruction de tous les lieux en tant que lieux.

La difficulté consiste à maintenir cette exigence de localisation et d'autonomie, sans faire le jeu des fermetures identitaires et des particularismes jaloux, ni *a fortiori* revenir à l'oppression d'un lien forcé au sol, caractéristique du féodalisme. Il n'y a pas ici de recette, et le seul principe qu'on soit en mesure d'énoncer est celui d'un dépassement de l'opposition entre le particulier et le général, entre le local et le mondial. Il s'agirait donc, comme l'expérience zapatiste le suggère, d'articuler le local (en l'occurrence la revendication indigène), l'universel (le souci de l'humanité) et, si l'on y tient, le national (s'agissant d'une culture aussi patriote que celle du Mexique). De fait, une lutte exclusive pour l'identité et l'autonomie indigène reconduirait à l'ethnicisme et aux idéalisations qui l'accompagnent souvent ; accepter les frontières du Mexique comme ultime horizon entraînerait aisément vers une fermeture chauviniste, voire xénophobe ; et ne retenir qu'une perspective universelle nierait les particularités locales, ethniques et nationales qui donnent leur base à tout mouvement social. Le local, le national et l'intercontinental ne peuvent donc être ni opposés ni séparés. La logique qui prévaut est celle d'une articulation d'échelles différentes, au sein de laquelle chaque niveau ne trouve sa pertinence que dans la mesure où il est mis en relation avec les autres. Le critère de différenciation avec les particularismes identitaires se laisse alors identifier. Ceux-ci deviennent menaçants parce qu'ils isolent et réifient le local et le particulier, l'ethnique ou le national, exaltés comme valeurs suprêmes séparées et comme fins en soi. Dans l'autre cas, en revanche, ils constituent des valeurs assumées et revendiquées, mais qui s'inscrivent dans une perpective plus large qui les dépasse et en transforme le sens. Au lieu de se nier mutuellement, le particulier et l'universel peuvent être acceptés comme deux pôles différenciés et aussi nécessaires l'un que l'autre, trouvant leur justification et leur légitimité dans la mesure où ils s'articulent l'un à l'autre.

Reste à accomplir un effort pour différencier aussi nettement que possible la logique néolibérale et celle des propositions zapatistes, qui l'une comme l'autre incluent un double mouvement particularisant et globalisant. En effet, la « globalisation fragmentée » du néolibéralisme impose une uniformisation marchande et une délocalisation généralisée, en même temps qu'une prolifération de l'hétérogène qui multiplie les identités xénophobes et les frontières étanches. De l'autre, ce qu'on pourrait appeler, pour forger un oxymoron symétrique, une *autonomisation universaliste* revendique la singularité des lieux et des expériences humaines en même temps qu'un internationalisme qui se moque des frontières et se préoccupe du destin commun de l'humanité. Comment faire alors, en toute clarté, la différence entre ces deux combinaisons du particulier et du global ? Certes, il suffit de demander *pour quoi ? et pour qui ?* afin que se dissipe tout risque de confusion entre une logique qui profite au néolibéralisme et une autre qui est celle de l'humanité. Ainsi, du côté néolibéral, la prolifération de l'hétérogène atomise les forces du travail pour garantir un faible coût de la main-d'œuvre, divise les peuples et concentre leur attention sur des leurres, afin de mieux assurer l'unification marchande du monde. Et, comme effet en retour, le faux cosmopolitisme du capital, en faisant disparaître tant de traits singuliers de l'existence humaine et en affaiblissant les anciens repères associés aux cadres nationaux, stimule les replis xénophobes et les affrontements identitaires. Enfin, la « globalisation » a absolument besoin, pour jouer du principe de délocalisation, des déséquilibres du développement et donc du maintien d'un monde rural vivant à des années-lumière du « village planétaire » et constituant une réserve de main-d'œuvre bon marché ; mais en même temps ce phénomène accélère la déruralisation du monde, de sorte que la logique de délocalisation tend à épuiser les conditions qui la rendent possible (I. Wallerstein).

En ce qui concerne la logique suggérée par le zapatisme, il s'agit au contraire de défendre l'État-nation contre la globalisation, tout en défendant l'autonomisation de la société civile contre le pouvoir d'État (la résultante étant une modification de l'État national non par le haut, au profit des marchés et des puissances du capital international, mais vers le bas, pour fortifier l'espace de participation des citoyens). Il s'agit d'affirmer l'autonomie locale et la reconnaissance des différences ethniques, en les intégrant dans le cadre natio-

nal, et en même temps de revendiquer l'importance de
l'État-nation, tout en dépassant les frontières au nom
d'une «internationale de l'espérance» (d'où l'apparent
paradoxe consistant à défendre la nation contre ceux
«qui vendent la patrie», tout en appelant à construire
la dignité de l'humanité tout entière, cette «patrie sans
nationalité»). D'un côté, on est confronté à une entreprise de déshumanisation, menée par la force mondiale
des choses, qui utilise la fragmentation, l'hétérogénéité
et jusqu'à l'individualisation, aux fins de sa domination. De l'autre, il s'agit de faire prévaloir la dignité de
l'humain, dont l'unité se fonde sur la diversité de réalités localisées et sur la particularité d'expériences spécifiques.

Mais la question du pour quoi? et du pour qui? n'est
peut-être pas suffisante et il faut aussi se demander s'il
existe entre ces deux principes une différence de structure logique. De fait, on peut confronter une dynamique
néolibérale de domination, qui s'impose du haut vers
le bas, et une logique de l'humanité qui lutte, d'en bas,
pour sa libération. Mais surtout, le rapport entre unité
et hétérogénéité, unification et différenciation s'inverse
d'un cas à l'autre. Le néolibéralisme multiplie les différences pour faire prévaloir une force unique, celle de
l'unification financière du monde et de la transformation de toute réalité en marchandise. Selon les situations, elle encourage, tolère ou interdit les différences
à sa convenance, de sorte qu'ici, c'est l'unité qui commande la prolifération des différences, ou plus exactement la distribution respective des facteurs de fragmentation et d'unification. Les différences (factices)
sont au service d'une Unité dominatrice (et falsifica-

trice). En revanche, la logique de l'humanité à la recherche de sa libération part de la reconnaissance des différences, de la spécificité des lieux, de la diversité culturelle et historique, pour tendre les ponts qui permettent de construire l'unité des peuples du monde. Il s'agit de fédérer des différences pour que l'humanité existe, unie dans sa diversité et diverse dans son unité. D'un côté, donc, la domination de l'Unique (le Marché) ordonne les différences ; de l'autre, les différences sont le fondement sur lequel s'édifie l'unité (de l'humanité libre), qui ne peut exister que dans le respect de la diversité des lieux et des expériences.

Individu, communauté et universalisme

Puisqu'on parle ici d'une expérience indienne, on ne peut terminer sans considérer la question de la communauté qui est, dans la culture indigène, la forme spécifique d'attachement au lieu propre. On le fera dans le souci de ne pas essentialiser la communauté, privilégiant pour cela l'analyse d'un double rapport, d'une part entre l'individuel et le communautaire (puisque l'on pense volontiers que la communauté nie l'individu et ses droits), et d'autre part entre le communautaire et l'universel (puisque l'on accuse le « communautarisme » de méconnaître les valeurs de l'humanité). On s'efforcera de montrer que l'expérience zapatiste s'emploie à dépasser ces deux oppositions (sans nier la pertinence de dualités comme celle de l'individuel et du collectif, mais en considérant qu'articuler ces termes est plus fécond que d'en choisir un *contre* l'autre). La question est alors de savoir comment associer les valeurs collectives mises en œuvre dans les communautés indigènes (dont ne sont cependant absents ni le désir de différenciation des personnes, ni la compétition pour le prestige ou le pouvoir, ni le goût pour la hiérarchie) avec les valeurs de l'individualité auxquelles nous aurions du mal à renoncer entièrement (à la fausse individualité d'aujourd'hui, faite d'égoïsmes fous et de solitudes dépressives, sans doute, mais au projet d'une pleine réalisation de la subjectivité, difficilement).

En aucun cas on ne saurait considérer les communautés indigènes actuelles comme une réalité intemporelle, reproduite à l'identique depuis ses origines préhispaniques. Elles sont au contraire le résultat d'une histoire longue et complexe, au cours de laquelle les communautés ont été plusieurs fois transformées, reformulées et recréées. Il existe bien, à l'époque préhispanique, des organisations communautaires (les *calpulli*) qui administrent de manière collective une part importante des terres ; mais ce système horizontal s'articule déjà à une forte hiérarchie, puisqu'une partie du travail des communautés est prélevée par la noblesse et les gouvernants des États régionaux ou des seigneuries locales, ou bien encore captée sous forme d'un tribut dû à l'Empire aztèque. Avec la Conquête et la colonisation, et en dépit du génocide et de la destruction violente des civilisations indigènes, l'organisation communautaire et la possession collective des terres sont en partie préservées, et même dans une certaine mesure protégées par la couronne espagnole. Certes, les anciennes structures de base sont bouleversées par la réorganisation de l'habitat et la concentration de la population dans de nouveaux villages mieux contrôlés par les missionnaires (Machiavel encore!), mais en même temps le cadre communautaire se trouve réaffirmé, d'autant plus que son homogénéité est renforcée par la disparition de la noblesse indigène et que l'administration espagnole l'utilise à son avantage, comme base pour la levée du tribut colonial. Davantage que l'époque coloniale, c'est l'État indépendant du XIXe siècle qui porte le coup le plus rude aux communautés, en légiférant contre la possession collective des terres et en permettant l'accaparement des terres paysannes au profit des grandes propriétés privées (*fincas* ou *haciendas*). Les communautés se transforment alors en un cadre de résistance paysanne contre l'expansion des règles de la propriété privée et contre l'asservissement salarial ou semi-féodal de la main-d'œuvre rurale.

Aboutissement de cette lutte, la Révolution mexicaine restitue une part importante de leurs biens aux communautés, qui se réorganisent autour de la gestion des terres (communales ou *ejidales*) ; mais dans les décennies postrévolutionnaires, cet avantage s'associe à une forte pénétration de l'État et du parti officiel dans la vie des communautés, qui donne naissance à un nouveau caciquisme indigène manipulé par l'État et à ce que l'on a pu appeler la « communauté révolutionnaire institutionnelle » (J. Rus). Enfin, tandis que dans certaines régions du Chiapas, comme Los Altos, domine ce type de communauté où le système hiérarchisé des charges et la tendance au caciquisme pèsent lourd, la colonisation de la Selva Lacandona donne lieu, surtout à partir des années 70, à la création d'un nouveau type d'expérience communautaire, où les références indiennes sont ravivées par la thématique chrétienne de la communauté fraternelle de tous les fidèles. Là, s'organisent des «néocommunautés», «en rupture avec la tradition communautaire» (Y. Le Bot), de sorte que le caciquisme comme le poids des «anciens» et des «principaux» s'effacent au profit d'une réactivation de l'assemblée communautaire et de la participation collective aux décisions. Ainsi, le type de communauté auquel se réfère le zapatisme, pour s'efforcer d'en renforcer les aspects collectifs et horizontaux, n'est nullement la reproduction d'une «tradition millénaire», mais bien la création militante d'une réalité neuve, au sein de laquelle convergent les éléments d'une expérience ancienne des indigènes, la pastorale de la théologie de la libération et les idéaux collectifs issus des différentes espèces de la «foi socialiste» (M. Löwy).

Ce bref aperçu historique, s'il invite à renoncer à toute croyance en une essence intemporelle de la communauté, suggère aussi que celle-ci n'est nullement fondée sur une parfaite égalité et un consensus permanent entre ses membres. La communauté est tissée de relations interpersonnelles denses aux effets ambivalents : l'entraide et la solidarité qui cimentent la communauté sont parfois associées à des rapports de rivalité et de jalousie qui peuvent devenir fort pesants, faisant éprouver la vulnérabilité de chacun face aux pressions du groupe (les maladies sont traditionnellement interprétées comme la conséquence d'une relation néfaste avec le voisinage, voire d'un acte de sorcellerie). La communauté ne saurait donc être conçue comme le lieu d'une harmonie idéale, mais plutôt comme un espace original de résolution des conflits, sur la base de relations complexes, incluant parmi d'autres la valorisation de l'action collective et la recherche du consensus. Par ailleurs, la communauté est souvent articulée à une structure sociale extérieure très hiérarchisée (comme dans le cas des seigneuries ou empires préhispaniques), et elle peut être un instrument de domination (au profit de la monarchie coloniale) et de contrôle (au service de l'État post-révolutionnaire). Elle est travaillée, en son sein même, par la hiérarchisation des statuts et par des processus de différenciation sociale. Certes, ses hiérarchies internes sont compensées par des obligations réci-proques et le système des charges repose, du moins lorsqu'il n'est pas recoupé par le caciquisme, sur une idée de la hiérarchie différente de la nôtre, puisque les titulaires des charges sont des serviteurs de la com-munauté, devant obéir à ses décisions : le *mandar obe-deciendo* trouve ici l'une de ses sources directes.

Malgré cette réserve, il serait sage de renoncer à associer communauté et égalité, pour reconnaître au contraire une articulation fondamentale entre *commu-nauté* et *hiérarchie*. On ne veut pas dire par là que la hiérarchie serait l'essence de la communauté (ce serait remplacer son idéalisation égalitaire par une erreur inverse, mais finalement de même nature). Car il existe aussi, dans la plupart des réalités communautaires, une forte dimension collective, qui s'exprime par la capa-cité à débattre en assemblée ou à organiser collective-ment les tâches d'intérêt commun, et qui trouve son ciment le plus ferme dans la possession sociale des terres (l'usage de celles-ci est individuel ou plutôt familial, mais l'*ejido* ou la communauté dispose d'une possession éminente sur les terres, qui en garantit l'inaliénabilité et permet une redistribution des parcelles dans certaines situations, notamment en cas de départ ou d'extinction d'une famille). Ces éléments freinent donc l'extension du principe hiérarchique et sa consolidation en inégalités sociales ; mais on ne peut pour autant oublier qu'un tel principe est historiquement associé aux organisations communautaires. C'est donc un trait fondamental de la communauté que d'être travaillée par une contradiction entre une dimension égalitaire et une logique hiérarchique. Ces deux tendances sont parfois en équilibre, se renforçant mutuellement au bénéfice de la communauté elle-même, tandis que, dans d'autres conditions historiques, l'élément hiérarchique tend à l'emporter, surtout s'il est épaulé par des intérêts extérieurs, conduisant parfois ainsi à la désagrégation de la communauté. À l'inverse, la vision zapatiste de la communauté s'efforce de renforcer la dimension égalitaire et horizontale, ce qui ne signifie nullement qu'elle efface totalement la perspective hiérarchique. C'est du reste ainsi que l'on a interprété le *mandar obedeciendo*, qui maintient une référence à la verticalité hiérarchique, tout en la soumettant à l'horizontalité de la volonté collective. D'une certaine manière, la contradiction mentionnée dans le premier chapitre à propos de l'Ezln n'est que l'accentuation, du fait de sa constitution en armée, d'une tension propre à l'organisation communautaire elle-même.

Aussi, lorsque les zapatistes se réfèrent à la communauté, ils opèrent un *choix* parmi les multiples expériences historiques englobées sous ce terme. Un choix qui opte pour une communauté rénovée et ouverte, loin de la vision traditionnelle de la communauté repliée sur elle-même : « La communauté était le centre du monde, un donné indépassable ; elle devient un lieu d'ancrage et de référence dans un monde ouvert et vaste » ; il s'agit désormais de dépasser le cadre strict de chaque communauté, pour privilégier l'affirmation du communautaire comme fondement d'« une indianité générique, délivrée du localisme borné des anciennes communautés » (Y. Le Bot). Un choix qui se réfère principalement à l'expérience de la Selva, étendue par les zapatistes à certaines zones de Los Altos, et qui privilégie les pratiques collectives et la recherche du consensus par la discussion en assemblée. C'est en ce sens que le sous-commandant, évoquant l'époque de formation de l'Ezln, souligne l'importance du collectif dans l'organisation des communautés indigènes de la Selva : « Celles-ci commencent à s'organiser pour survivre de la seule manière possible, c'est-à-dire ensemble, collectivement. La seule forme par laquelle ces gens pouvaient être assurés d'aller de l'avant, c'était en s'associant avec les autres. C'est pourquoi le mot "ensemble", le mot "nous", le mot "unis", le mot "collectif" imprègnent la parole des compagnons. C'est une partie fondamentale, je dirais la colonne vertébrale du discours zapatiste » (30 juillet 1996). Souligner l'importance du collectif, mis en rapport ici non avec une supposée essence indigène ou une quelconque identité maya, mais avec des conditions concrètes de vie qui rendent indispensable la solidarité du groupe, ne suppose nullement de reproduire le mythe idéalisant de la communauté homogène et sans hiérarchie, vivant dans l'harmonie et le consensus permanent. Pour autant, il n'en s'agit pas moins d'une expérience capable de retenir l'attention de ceux qui questionnent les dérives de l'individualisme occidental et ses conséquences parfois pathétiques.

Pourtant, dans le discours zapatiste, l'insistance sur les valeurs collectives n'efface nullement le souci des individus, et il est frappant que Marcos, au moment de dresser le bilan de la Marche pour la dignité indigène devant les communautés indigènes rassemblées, choisisse de s'adresser non pas à celles-ci en tant que collectivités, mais à chacun des individus qui les composent : « *Tu* nous as dit de porter jusqu'en haut la demande de reconnaissance de nos droits et culture, et nous l'avons fait (...) *tu* nous as donné l'ordre de porter avec dignité le nom des zapatistes, et nous l'avons porté avec dignité (...) Compagnon, je *te* restitue le bâton de commandement » (1er avril 2001). De manière comparable, la forme narrative, souvent adoptée par le sous-commandant, lui permet de donner vie à des personnages singuliers, comme le vieil Antonio, ou encore Olivio, Toñita et Pedro, l'enfant de l'exil auquel Marcos invite à penser, lorsque l'armée fédérale se retire de Guadalupe Tepeyac (« Nous voulons te dire quelque chose, nous voulons te demander que tu ailles chez toi, à ton travail, que tu dises à tes amis, à ta famille que, grâce à toi, un enfant qui se nomme Pedro, Pedrito on l'appelle, va pouvoir retrouver sa maison, après six ans et un mois vécus dans la montagne », 28 mars 2001). Dès janvier 1994, les communiqués mettent en scène et donnent la parole à des membres ordinaires de l'Ezln. Il est alors question de Javier, un Tzotzil qui laisse Marcos perplexe en proposant d'inviter dans la Selva non pas les militants agressés par la police, mais les policiers qui les ont frappés ; il est alors question de Ángel, un « Tzeltal dont l'orgueil est d'avoir lu en entier le livre de Womack sur Zapata ("J'ai mis trois ans. J'ai souffert, mais je l'ai terminé", dit-il chaque fois que quelqu'un ose douter de sa prouesse) », et qui s'indigne à la lecture d'un article de presse évoquant une manipulation des indigènes par des révolutionnaires professionnels : « Pourquoi nous voient-ils toujours comme de petits enfants ?... Est-ce que par hasard l'intelligence vient seulement à la tête des métis ? » ; il est alors question de Susana, une femme tzotzile qui se met en colère lorsque les autres membres du CCRI se moquent d'elle en l'accusant d'être responsable du premier soulèvement zapatiste (on apprend alors la perplexité inquiète des hommes face aux Lois révolutionnaires des femmes, l'un d'eux murmurant « heureusement que ma femme ne comprend pas l'espagnol » et s'entendant répondre par une femme officier « t'es baisé, parce qu'on va traduire la Loi dans toutes les langues », 26 janvier 1994). Les communiqués soulignent aussi comment la résistance se construit à partir de décisions individuelles : « Dans n'importe quelle partie du monde et à n'importe quel moment, un homme ou une femme − n'importe lequel, n'importe laquelle − se rebelle et finit par rompre le vêtement que le conformisme lui avait tissé et que le cynisme avait teint de gris. Un homme ou une femme − n'importe lequel, n'importe laquelle − de n'importe quelle cou-

leur et de n'importe quelle langue dit et se dit : ça suffit! Un homme ou une femme – n'importe lequel, n'importe laquelle – s'engage à résister au pouvoir et à
construire un chemin propre pour ne pas perdre la
dignité et l'espérance. Un homme ou une femme –
n'importe lequel, n'importe laquelle – décide de vivre
et de lutter sa part d'histoire» (3 août 1996).

La résistance n'apparaît pas ici comme une lutte de
masses, selon la vieille rhétorique qui construisait les
actions collectives sur le sacrifice des individus. Tout
désormais commence avec des êtres à la fois singuliers
et communs, qui rompent l'uniformité dominante pour
rechercher une voie propre, une autre manière de
vivre et de se transformer. Il ne s'agit donc ni de prôner des valeurs communautaires négatrices de l'individu, ni d'exalter une individualité destructrice des
liens interpersonnels, mais de dépasser l'opposition
supposément irréductible entre individu et collectivité.
Car l'individualité dominante, celle qui prétend «qu'il
faut se préoccuper de soi-même et non des autres, que
le cynisme et l'égoïsme sont des vertus, que la bonté et
la solidarité sont des défauts à corriger, que toute pensée en commun, collective, est indice de totalitarisme,
qu'il n'y a de liberté qu'individuelle et personnelle»,
n'est qu'une fausse individualité : dans «le futur que
nous promettent ceux d'en haut, nous ne sommes pas
ce que nous sommes. Un numéro nous sommes, non
une histoire» (21 mars 2001). À cette individualité falsifiée et quantifiée, négatrice de la dignité personnelle
et oublieuse des destinées singulières, on se doit d'opposer conjointement le souci de la collectivité et le
désir d'«être des individus avec une histoire propre»,

« une histoire personnelle dont la dignité serait la colonne vertébrale et l'unique héritage » (et c'est pourquoi la seconde partie de ce même discours est presque tout entière consacrée à Pedro, l'enfant indigène né loin de sa maison). Mais l'effort pour concilier les solidarités fondatrices du lien social et la reconnaissance pleine du désir d'individualité n'est qu'un leurre, s'il ne se fonde pas d'abord sur une critique du devenir-marchandise de l'homme, qui lui apprend « à être un numéro qui accumule des numéros » et qui exalte l'individualité pour mieux la rendre impossible.

Comme l'avait souligné G. Lukács, « le développement de la bourgeoisie confère d'une part à l'individualité une importance toute nouvelle et, par ailleurs, supprime toute individualité par les conditions économiques de cette individualité, par la réification que crée la production marchande ». De cette individualité exacerbée jusqu'à la démence et s'annihilant elle-même, il n'est guère de symptôme plus éloquent que le clonage humain reproductif, qu'on nous promet pour demain. Le désir de se reproduire à l'identique, déniant les limites que la mort impose à toute existence humaine, apparaît en effet comme le libre cours donné à l'exaltation sans borne de soi ; mais il aboutirait paradoxalement à une défaillance de l'individualité de l'autre, en créant des êtres dangereusement privés des appuis indispensables au travail d'autonomisation personnelle. On ne saurait mieux dire combien l'accentuation d'un faux ego, autorisé par l'alliance perverse de la technologie et du négoce à croire en sa toute-puissance, conduit à la négation de l'individualité. *A contrario*, cela invite à créer les conditions d'une individualité

véritablement humaine, capable de se réaliser dans
l'irréversibilité du temps et sachant que la pleine affirmation de soi est impossible hors de la relation à autrui
et du désir d'appartenance à la communauté des
hommes.

De même, le mouvement zapatiste suggère d'abandonner l'opposition entre les luttes globales et les
luttes particulières. Certes, la globalisation néolibérale
impose une logique unique qui se reproduit en tous
lieux, de sorte que les zapatistes soulignent l'effet de
forces mondiales sans cesse plus puissantes, telles que
celles du « grand pouvoir mondial » ou de la « mégapolitique ». Une situation particulière comme la non-
application des accords de San Andrés est mise en relation avec une problématique beaucoup plus générale,
puisqu'il s'agit d'un terrain de lutte où se déroule « le
grand affrontement de la fin du xxᵉ siècle : le Marché
contre l'Histoire ». C'est aussi pourquoi les hommes et
les femmes des cinq continents peuvent se réunir et
partager l'expérience de leurs luttes contre l'ennemi
commun. Pourtant, il existe un autre versant tout aussi
important : face au double processus d'uniformisation
et de fragmentation, la stratégie de résistance doit commencer par reconnaître les différences et les particularités, pour s'efforcer ensuite de les fédérer. C'est pourquoi Marcos peut affirmer que les poches de résistance
sont « de toutes les tailles, de différentes couleurs, des
formes les plus variées. Leur unique ressemblance est
leur opposition au "nouvel ordre mondial" et au crime
contre l'humanité qu'apporte la guerre néolibérale (...)
Il y a autant de modèles qu'il y a de résistances et de
mondes dans le monde. De sorte que vous pouvez des-

siner le modèle qui vous plaît le mieux. Dans cette affaire de poches, comme dans celle des résistances, la diversité est richesse» (août 1997). C'est ce qui donne sens aux énumérations parfois interminables qui abondent dans le style du sous-commandant. Il serait en effet insuffisant d'exalter la lutte des «indigènes», sans rappeler qu'elle est celle des ethnies «mazahua, amuzgo, tlapanèque, najuatlaca, cora, huichol, yaqui, mayo, tarahumara, mixtèque, zapotèque, maya, chontal, seri, triquis, kumiai, cucapá, paipai, cochimí, kiliwa, tequistlatèque, pame, chichimèque, otomí, mazatèque, matlatzinque, ocuiltèque, popoloque, ixtatèque, chocho-popoloque, cuicatèque, chatino, chinantèque, huave, pápago, pima, tépéhuane, guarijio, huastèque, chuj, jacaltèque, mixe, zoque, totonaque, kikapú, purépeche, o'odham, tzotzile, tzeltale, tojolabale, chole, mame» (septembre 1994; énumération souvent réitérée durant la Marche de la dignité indigène). De même, il ne suffirait pas d'appeler l'humanité à résister au néolibéralisme, sans évoquer la diversité de ceux qui luttent ou dont on espère entendre la voix : «celle de l'étudiant, du voisin, du professeur, de la femme au foyer, de l'employé, du sans emploi, du vendeur ambulant, du handicapé, de la couturière, de la dactylo, du livreur, du clown, du pompiste, de la standardiste, du serveur, de la serveuse, du cuisinier, de la cuisinière, du mariachi, de la prostituée, du prostitué, du mécanicien, de l'acrobate, du laveur de voitures, de l'indigène, de l'ouvrier, du paysan, du chauffeur, du pêcheur, du chauffeur de taxi, du rémouleur, de l'enfant de la rue, du fonctionnaire, de la bande de jeunes, du travailleur des moyens de communication, du travailleur des professions libérales, du religieux, de l'homosexuel, de la lesbienne, du transsexuel, de l'artiste, de l'intellectuel, du militant, de l'activiste, du marin, du soldat, du sportif, du maçon, du vendeur au marché, du vendeur de *tacos* et sandwiches, du laveur de pare-brises, du bureaucrate, de l'homme, de la femme, de l'enfant, du jeune, de la personne âgée, de celui que nous sommes» (16 mars 2001). Il ne s'agit ni d'isoler chacun de ces groupes dans une lutte séparée, ni de les fondre dans un mouvement global et unifié. La méfiance zapatiste à l'égard des logiques uniformisantes est du reste bien illustrée par le conte *Toujours et Jamais contre Quelques Fois* : «Il était une fois deux fois. L'une s'appelait *Une Fois* et l'autre s'appelait *Autre Fois*. *Une Fois* et *Autre Fois* formaient la famille *Quelques Fois*, qui vivait et mangeait parfois. Les grands empires dominants étaient *Toujours* et *Jamais* qui, c'est évident, haïssaient mortellement la famille *Quelques Fois*... *Toujours* ne pouvait permettre que *Une Fois* habite dans son royaume parce qu'alors *Toujours* cessait de l'être... *Jamais* ne pouvait pas davantage permettre qu'*Autre Fois* se trouve parfois dans son royaume parce que *Jamais* ne peut vivre avec une *Fois*, et moins encore si cette fois est *Autre Fois*» (12 septembre 1998). La morale est limpide : «les "toujours" et les "jamais" sont imposés par ceux d'en haut», à coups de lois universelles et de logiques globales, tandis que les singularités du «quelques fois» caractérisent ceux d'en bas, qui sont aussi les «différents» et parfois les «rebelles».

L'idée du réseau de résistance, proposée lors de la Rencontre intercontinentale de 1996, correspond à une telle logique. Il s'agit de provoquer «un écho qui se transforme en de nombreuses voix, en un réseau de voix qui, face à la surdité du pouvoir, opte pour se parler lui-même en sachant qu'il est un et multiple, se reconnaissant égal dans son aspiration à écouter et à être écouté, et se reconnaissant différent dans les tonalités et les niveaux des voix qui le forment» (3 août 1996). Il veut construire «la poche miroir des voix, le monde dans lequel les sons puissent être écoutés séparément en reconnaissant leurs spécificités, le monde dans lequel les sons puissent être inclus dans un seul grand son (...), le monde fait des nombreux mondes dont le monde a besoin». Paradoxe des nombreux sons à la fois séparés et unis dans un seul son, défi des nombreuses différences qui se rencontrent et s'unissent sans se nier comme différences... Dépassant l'opposition entre traits particuliers et réalités homogènes, tout en s'opposant à la logique néolibérale de la globalisation fragmentée, les textes zapatistes insistent pour promouvoir une unité dans la diversité, pour convoquer une convergence des différences. « *Un mundo donde quepan muchos mundos* (un monde qui contienne de nombreux mondes)» est l'un des principes zapatistes le plus souvent rappelés, exprimant ce désir d'inclure les différences, de donner forme à l'unité dans le respect de la diversité. Mais cette logique éclate avec plus de force encore dans la proclamation par laquelle la major Ana María accueille les participants de la Rencontre intercontinentale : «*Nous sommes tous égaux parce que nous sommes différents*» (27 juillet 1996). Le paradoxal *parce que* brise l'idée selon laquelle l'égalité et l'unité humaines devraient être définies *en dépit des* différences entre les individus, les races et les sexes. Il revendique au contraire une égalité rêvée et une unité élaborée *à partir des* différences, sur la base de leur pleine reconnaissance. Dans cette articulation des différences et de l'unité, des logiques globales et des réalités particulières, se trouve probablement l'une des propositions les plus fortes du zapatisme.

C'est là un terrain fertile pour faire croître un nouvel universalisme, différent de celui que nous avons hérité des Lumières. À ce dernier, on a souvent adressé deux critiques : d'une part d'avoir été construit sur la base d'un homme abstrait, en niant la diversité des êtres réels ; d'autre part de n'être, comme toutes les valeurs universelles, que l'universalisation de valeurs particulières, occidentales en l'occurrence. De là, naît la question que l'expérience zapatiste aide à poser : est-il possible de penser un universalisme qui intègre la critique de l'universalisme en tant qu'universalisation de valeurs particulières ? Comme on l'a dit plus haut, l'expérience zapatiste suggère que le local et l'universel, au lieu de se nier mutuellement, peuvent être acceptés comme deux pôles aussi nécessaires l'un que l'autre, trouvant leur légitimité dans la mesure où ils sont associés l'un à l'autre. Il s'agirait alors d'admettre que l'accès à l'universalité peut se fonder sur la reconnaissance de la spécificité des lieux, de la diversité des êtres humains et de l'autonomie des expériences. Quant à la première critique, elle souligne qu'il est assez facile d'affirmer l'unité du genre humain si l'on occulte tous les traits qui différencient les groupes humains et font qu'ils vivent des expériences spécifiques, puisqu'on se contente alors de postuler l'identité de tous les hommes, sans même percevoir ce qui peut y faire obstacle. C'est assurément Th. Adorno et M. Horkheimer qui ont poussé le plus loin cette critique, en s'attaquant aux racines de l'universalisme abstrait dans la philosophie des Lumières, et plus largement dans la logique du monde capitaliste. Ainsi, «la société bourgeoise se trouve dominée par l'équivalent. Elle rend comparable l'hétérogène en le réduisant à des grandeurs abstraites». L'abstraction, comme processus permettant de rendre l'hétérogène équivalent, est au centre de leur critique des Lumières. Et de même que l'équivalent monétaire est l'instrument par lequel l'incomparabilité des valeurs d'usage se projette sur la mesure unique des valeurs d'échange, l'abstraction est l'outil intellectuel qui assure l'équivalence de réalités hétérogènes. À l'unification du Marché répond l'équivalence par abstraction et, tout particulièrement, l'universalisme abstrait comme fondement de la conception du genre humain. Il faudrait donc, selon les deux philosophes, substituer une conception de l'universel comme «unité de la collectivité et de la domination» (car «la domination, en tant qu'universel, s'oppose à la singularité») par «une universalité sociale immédiate (la solidarité)». Plus explicitement, ils indiquent que «la conciliation de l'universel et du particulier est dépourvue de toute valeur», tant qu'il n'existe «aucune tension entre les deux pôles : les extrêmes qui se touchent cèdent le pas à une trouble identité ; l'universel peut se substituer au particulier et *vice versa*». Ils invitent ainsi à penser l'universel et le particulier comme deux pôles clairement séparés, et à établir entre eux une articulation résultant d'un travail intense et difficile pour *concilier des différences concrètes*, pour tendre des ponts entre des expériences spécifiques et mettre en relation des lieux propres.

C'est bien cette logique qu'on semble retrouver dans la démarche zapatiste. On y sent à l'œuvre la critique d'un universalisme abstrait ou d'une égalité juridique qui s'emploie à occulter les différences réelles (à la manière de Mora décrétant l'inexistence des Indiens). Pour autant, il ne saurait être question de revenir à des conceptions antérieures, rendues caduques par l'idéologie bourgeoise de l'abstraction, c'est-à-dire à des théories de l'ordonnancement vertical de la société, utilisant les différences comme légitimation des hiérarchies. Ce dont il s'agit c'est de sortir du dilemme suivant : ou bien reconnaître des différences et nier l'égalité, ou bien reconnaître l'égalité et nier les différences. L'enjeu est d'opérer le dépassement conjoint des deux positions antérieures, en assumant tout à la fois les différences (d'une manière non hiérarchisante) et l'égalité (d'une manière non homogénéisante). Dans la phrase de la major Ana María, qu'il n'est pas inutile de répéter, on peut trouver le principe de cet universalisme rénové, qui à la fois s'écarte de l'homme abstrait défini par les Lumières et rejette la pacotille d'un internationalisme des marchandises : « Nous sommes tous égaux parce que nous sommes différents. »

Reste, avant de conclure, à dissiper une ultime équivoque. En effet, la philosophie postmoderne et ses divers sous-produits se fondent également sur une critique de l'universalisme des Lumières, au nom d'une « guerre contre la totalité » et d'une valorisation de l'individuel. C'est pourquoi il importe de distinguer *différentes* critiques possibles de l'universalisme abstrait, afin de faire apparaître ce qui sépare une perspective comme celle du zapatisme et le postmodernisme aujourd'hui en vogue. En effet, la philosophie post-moderne prend le contre-pied du rationalisme des Lumières (et de ses prolongements marxistes), poussant le rejet de la totalité et de toute perspective globale jusqu'à une valorisation de la fragmentation dont l'image de l'archipel est l'emblème, jusqu'à une exaltation de l'individualisme bien en phase avec l'air du temps néolibéral. On croit pouvoir argumenter qu'il en va autrement dans les conceptions zapatistes. Certes, une idée comme celle du « réseau de résistances » fait étrangement écho au langage de la cybernétique et d'un capitalisme métamorphosé en société de l'information. Le piège serait alors de reproduire, dans les formes mêmes de la résistance, celles qui font désormais la force du capitalisme financier (réseaux de sociétés anonymes au sein de groupes multinationaux aux identités insaisissables) et de ses modèles de communication (Internet). Si l'expression de « réseau de résistances » devait produire une telle confusion, elle mériterait d'être abandonnée ; mais il faut redire qu'un réseau de luttes n'est en aucune manière assimilable à l'usage de la toile, sauf à réduire tout contenu au médium qui le transmet, et à retomber ainsi dans le piège déjà tendu par le thème de la « cyber-guérilla ».

Les textes zapatistes suggèrent de renoncer à sacrifier le local sur l'autel de l'universel, et les particularités au nom de la totalité. Mais ils ne proposent pas pour autant de faire le choix de l'individuel en oubliant le collectif, de se perdre dans l'archipel des différences sans en voir l'unité, ou d'assumer un relativisme culturel pour lequel tout se vaut. Croire, comme le suggèrent les tendances postmodernes, que les réalités humaines sont seulement le produit de configurations locales et interpersonnelles et qu'il importe de concentrer toute l'attention sur les acteurs individuels et leurs traits singuliers nous ferait perdre de vue l'échelle des problèmes qui affectent l'humanité actuelle. Cela conduirait à renoncer à des concepts tels que Néolibéralisme ou Marché, au nom d'un puritanisme nominaliste qui s'effarouche à l'idée de nommer des forces trans-individuelles, comme si la pensée, tel saint Thomas, ne pouvait plus désormais croire que ce qu'elle peut toucher du doigt. Il est difficile de ne pas voir là un piège destiné à masquer les évidences les plus massives de la domination capitaliste. De telles remarques suffiront sans doute à suggérer, en dépit d'un point commun qui conduirait à tort à les identifier, l'écart entre les tendances de la postmodernité et la perspective zapatiste. Cette dernière se préoccupe tout autant de mettre en scène des individus singuliers que de dénoncer les forces globalisées de la mégapolitique néolibérale et du Marché, de revendiquer le respect des différences et des particularités que d'invoquer les valeurs générales de l'humanité et d'un nouvel universalisme.

Au total, la logique zapatiste consiste en une *articulation d'échelles différentes*. Elle parvient ainsi à associer la revendication de l'autonomie locale et des particularités ethniques, la défense de l'État national et la perspective internationaliste, sans faire le jeu ni du localisme communautariste ou de l'identitarisme ethniciste, ni du chauvinisme xénophobe, ni d'un universalisme abstrait négateur des différences. Cela suppose le dépassement de trois oppositions, afin de parvenir à une articulation de l'individuel et du collectif, des différences et de l'unité du genre humain, du local et de l'«intergalactique». C'est ainsi que le zapatisme cherche à provoquer et à propager «l'écho du petit, du local et du particulier se réverbérant dans le grand, l'intercontinental et l'intergalactique» (3 août 1996). Il permet l'affirmation d'une logique des lieux fondée sur le respect de leurs spécificités, mais sans s'enfermer dans un localisme imposant une limitation des horizons spatiaux. Il convoque à la rencontre unitaire et égalitaire des différences, à la multiplication des expériences singulières et des autonomies au sein d'une fédération de voix et de luttes. Il aide à inventer un nouvel universalisme, capable de reconnaître les différences entre les êtres et les groupes, et assumant comme un trait indispensable à l'existence des hommes la particularité des lieux qu'ils habitent, plutôt que de s'employer à les nier par abstraction ou par uniformisation.

Il n'est peut-être pas de meilleure expression de cette volonté de mettre en résonance le local et l'intercontinental, le particulier et l'universel, que l'invitation du commandant David, en 1996, à construire une « *communauté planétaire*», comme alternative à la globalisation capitaliste. Une telle expression, qui ne ressemble qu'en apparence à la notion de village global, profite certes de la diversité des sens du mot communauté, et en particulier de ses connotations chrétiennes, associées de longue date à une vision universaliste. Mais, prononcée par un indigène, elle fait presque figure d'oxymoron, puisqu'elle associe le terme qui désigne la forme locale de l'expérience de vie qu'il partage avec ses compagnons tzotzils à l'identification d'une humanité solidaire, unie dans ses luttes et réconciliée dans ses utopies. On ne saurait dire de façon plus synthétique que le mouvement zapatiste dénonce tout enfermement dans quelque communautarisme que ce soit, même si l'expression de « communauté planétaire » témoigne de l'attachement à une forme d'organisation sociale particulière et localisée (c'est justement la différence avec l'idée de village global). Pour un indigène zapatiste, il semble clair que la communauté (ou le communautaire), au sens local, et la communauté planétaire n'ont rien d'incompatible. Tout au contraire, l'expression du commandant David est une manière de conciliation – celle-là même qu'appelaient de leurs vœux Adorno et Horkheimer – entre le particulier et l'universel, entre la force de l'expérience locale et le souci d'une humanité en quête de son accomplissement. C'est du reste seulement en ce sens, articulant la réalité concrète des solidarités interpersonnelles et la conscience de l'unité du genre humain, que l'on peut dire que la communauté est la vraie nature de l'homme.

Conclusion

«Nous ne sommes pas l'homme ou la
femme nouvelle. Le zapatisme n'est pas
un monde nouveau. Le zapatisme est un
effort, une intuition, un désir de lutter
pour changer, pour tout changer y compris nous-mêmes. Nous sommes des
hommes et des femmes qui désirons
changer et nous changer ; nous sommes
des hommes et des femmes prêts à tout
pour y parvenir. Nous ne vous deman-
dons pas de voir en nous ce que vous
voudriez être ou ce que vous supposez
que vous devriez être.»

Sous-commandant Marcos
(7 avril 1996)

Comme l'avoue Marcos peu après le paragraphe cité
ici, le zapatisme est fait aussi de faiblesses, de limitations et d'erreurs. La volonté d'une pratique politique
capable d'inclure toutes les différences ne suffit pas à
briser les vieux réflexes sectaires, ni la vanité d'avoir
raison. Le désir de promouvoir une organisation horizontale n'efface pas l'imposition hiérarchique et la

logique verticale, au reste obligées dans une armée et auprès d'elle. Tourner en dérision le culte de la personnalité marque sans doute un effort sincère pour s'en défaire, mais ne fait souvent qu'accroître le prestige d'un chef capable de se moquer de son propre prestige. La lutte pour l'égalité des femmes ne réduit pas à néant, comme par magie, des siècles d'oppression et un machisme profondément enraciné dans la société mexicaine. On ne peut nier qu'il y ait des écarts, parfois fort regrettables, entre le discours et la pratique zapatistes. Mais on n'en conclura pas pour autant, avec ceux qui sont prêts à faire feu de tout bois dans leur œuvre de dénigrement, que le discours n'est qu'une façade aimable destinée à occulter une réalité sinistre, identique à l'idée qu'ils se font de l'héritage révolutionnaire du siècle passé. Car le décalage entre la théorie et la pratique peut être tenu pour inévitable, dès lors qu'il s'agit d'une théorie révolutionnaire visant à transformer la réalité existante, et pour peu qu'on échappe au dogmatisme et au totalitarisme qui, seuls, pourraient proclamer une adéquation parfaite de la théorie et de la pratique. Aussi, si le discours zapatiste est en avance sur la réalité, c'est parce qu'il prétend la transformer dans un contexte peu propice, avec des moyens limités et par un chemin incertain et encore indéfini. C'est pourquoi le zapatisme se présente lui-même comme un *effort* sans cesse recommencé et jamais abouti. Il n'est ni une doctrine achevée, ni la vérité dévoilée, mais un processus toujours en cours, ou plutôt l'amorce d'un processus. La *reprise* d'un processus.

Ce redémarrage est le produit d'une conjonction particulière : le singulier cocktail zapatiste, dans le

Mexique de la fin du xxe siècle. On en a énuméré les ingrédients principaux : la formation marxiste-guévariste des premiers membres de l'Ezln ; l'héritage des luttes propres à l'histoire mexicaine, depuis la résistance à la colonisation espagnole jusqu'à l'expérience révolutionnaire de Zapata, sans oublier les guérillas des années 70 et 80 illustrées notamment par Lucio Cabañas et Genaro Vásquez ; la culture et les pratiques des communautés indigènes, elles-mêmes produit d'une longue histoire de soumission et de résistance, mais fortifiées, voire recréées par les bouleversements des cinquante dernières années, par l'affirmation de leur capacité d'organisation et leur lutte finalement victorieuse pour la répartition des terres ; enfin, la pastorale de la théologie de la libération qui revivifie la conception indigène de la communauté, en lui insufflant l'idée de la fraternité spirituelle unissant la communauté de tous les chrétiens.

Mais la portée du mouvement zapatiste va au-delà de cette singulière conjonction, car il articule sa pratique politique à une critique de la forme actuelle du capitalisme, invitant à la lutte pour l'humanité et contre le néolibéralisme. En outre, une grande part de sa valeur d'expérience tient au fait qu'il constitue une critique en acte de la tradition révolutionnaire du siècle écoulé. Celle-ci vise principalement l'héritage guévariste et léniniste ; et quand bien même elle occulterait la question de son rapport présent au marxisme en général, l'apport est remarquable. Au sectarisme et au dogmatisme, les zapatistes opposent une créativité politique et un langage sensible et décloisonné, dont l'enjeu est de réconcilier le cœur et la tête, la raison et l'émotion, les valeurs modernes et l'imaginaire prémoderne, la révolution et la poésie, car ils savent que leur séparation, caractéristique d'un militantisme sacrificiel pétrifié, conduit la révolution à l'échec, tant il est vrai qu'il est impossible de lutter contre l'aliénation sous des formes aliénées et pour l'humanité de manière inhumaine. Contre le substitutionnisme qui affecte partis et organisations en transformant la fonction de représentation et de délégation en une séparation verticale entre dirigeants et dirigés, les zapatistes font valoir l'obligation du *mandar obedeciendo*, écartent l'idée d'avant-garde par laquelle l'organisation s'octroie l'omniscience au nom de laquelle elle guide le peuple et lui impose sa propre domination, et enfin ils revendiquent la primauté du mouvement social sur l'organisation. Contre l'obsession jacobine du pouvoir d'État, conçu comme la clé du processus révolutionnaire mais dont la défense et la consolidation finissent par devenir une fin en soi au point de se retourner contre la révolution elle-même, les zapatistes réitèrent leur refus de la prise du pouvoir d'État et de toute participation à sa gestion directe ; ils confèrent le rôle déterminant à la société, mobilisée pour obtenir la satisfaction de ses revendications et reconstruisant par en bas des formes autonomes d'organisation.

Mais le moment du zapatisme n'est pas seulement celui d'une critique de l'héritage révolutionnaire du XXe siècle. Car cette critique ne saurait se confondre avec celle que promeut le désenchantement postmoderne. Elle se doit au contraire de dissiper les vapeurs déprimées qui envahissent l'air du temps depuis un quart de siècle. Il existe certes un risque de confusion, parce qu'on retrouve de part et d'autre une critique de la modernité et de l'universalisme abstrait; mais le zapatisme se distingue du postmodernisme lorsque celui-ci fait prévaloir la fragmentation, l'individualisme et la désagrégation de toute cohérence historique. Le moment du zapatisme est donc celui d'un double dépassement, qui s'efforce de laisser derrière soi deux conjonctures historiques inverses, celle des certitudes révolutionnaires transformées en articles de foi, et celle des désillusions faites de renoncement et résignation. Chaque jour apparaît plus clairement la nécessité de situer le combat sur deux fronts à la fois : non seulement contre les rigidités héritées du marxisme dogmatique et contre un structuralisme qui pense l'histoire comme un processus sans sujet, mais aussi contre l'individualisme, la fragmentation postmoderne et la perméabilité aux valeurs du capitalisme néolibéral. Il s'agit d'échapper tout à la fois aux forteresses des certitudes carrées d'hier et aux marécages des informes décompositions d'aujourd'hui.

Cette double nécessité apparaît clairement s'agissant des conceptions du temps et de l'espace. Ainsi, émerge des textes zapatistes une critique du temps linéaire de la modernité, qui renonce au mythe d'une inéluctable Révolution (avec majuscule) et d'un avenir radieux, garanti par de supposées lois de l'histoire. Mais pour autant, les figures du temps historique qu'ils esquissent ne sont pas les bricolages désenchantés que la postmodernité parsème sur les ruines des «grands récits d'émancipation» (J.-F. Lyotard). Il s'agit donc de refuser une histoire monolithique conçue comme un drame inéluctable et déterminée par des forces suprahumaines, sans pour autant sombrer dans une vision individualisante, atomisée jusqu'à l'oubli des coercitions sociales et des tendances majeures de l'évolution historique. L'invitation est à construire une vision à la fois globale et plurielle des processus historiques, concevant le monde social comme une totalité, mais sans méconnaître l'existence de sphères diversifiées, d'évolutions déphasées et de failles fracturant cette totalité ; une histoire globale et plurielle, conférant une intelligibilité et une cohérence au devenir humain, sans pour autant postuler l'homogénéité de chaque époque sous l'espèce d'une unité de style, ni concevoir l'évolution comme une ligne droite unique. Le temps zapatiste n'est ni le cercle (presque) fermé du temps répétitif de la tradition communautaire, ni le temps linéaire du progrès et de la modernité (partagé par la bourgeoisie triomphante et l'orthodoxie marxiste), ni le temps fragmenté de la désagrégation postmoderne des processus historiques. Dépassant conjointement ces trois visions, les textes zapatistes esquissent une nouvelle appréhension de la temporalité, à la fois profondément historique et capable d'assumer la discordance des temps. Ils invitent à parier sur une jonction du passé et du futur, à «mettre un pied dans le passé et l'autre dans le futur», afin d'inverser la sinistre logique du présent perpétuel par laquelle le néolibéralisme prétend garantir son éternité.

La question du temps comme celle de l'espace sont des enjeux fondamentaux de la lutte pour l'humanité et contre le néolibéralisme. Le présent perpétuel et le culte de la vitesse détruisent le temps humain, qui est avant tout le temps qui passe, le temps irréversible, articulé à une conscience historique de la durée et de ses ruptures. Ils dénient l'expérience proprement humaine de la temporalité, au profit d'un temps à la fois grotesquement accéléré et historiquement immobile. Du reste, le culte de la vitesse avance du même pas que l'inflation généralisée de la quantité qui, sous l'espèce d'une fausse abondance, annule l'existence (véritable) des choses. Conjointement se propage la destruction des lieux au profit d'un espace homogène et banalisé, alors que la dignité des êtres suppose le respect d'une logique des lieux, préservant une spécificité des sites indispensable à une vie proprement humaine. C'est en cela que la globalisation – c'est-à-dire le devenir-monde de la marchandise et le devenir-marchandise du monde – est une logique destructrice de l'humanité. Et c'est pourquoi il n'est pas aujourd'hui de combat pertinent qui ne soit une lutte pour l'humanité et contre le néolibéralisme.

S'agissant des lieux et de l'espace, les textes zapatistes invitent à surmonter la contradiction du particulier et de l'universel, à articuler le local, le national et le planétaire. Tandis que la globalisation fragmentée du néolibéralisme assure le triomphe du Marché en faisant du monde l'empire uniforme des choses et en divisant l'humanité en un puzzle d'identités affrontées, les zapatistes suggèrent une tout autre articulation de la dimension locale et du souci planétaire, de la revendication ethnique et de la lutte pour l'humanité. Ils affirment l'autonomie des expériences humaines et la spécificité des lieux sans faire du local une fin en soi, mais en l'articulant au contraire à la vision d'une humanité reconnue dans son unité et sa diversité. C'est sur ce terrain que peut s'opérer la critique de l'universalisme hérité des Lumières, qui se fondait sur l'uniformisation abstraite des hommes et des lieux, et que le marxisme a trop littéralement repris à son compte, sans voir qu'il reproduisait ainsi la logique capitaliste au lieu d'en produire le dépassement. Il s'agit désormais, sur la base de cette critique, d'esquisser un nouvel universalisme, partant des différences entre les hommes pour construire, à partir de celles-ci et non malgré elles, une unité de l'humanité fondée sur la convergence égalitaire des différences.

Une telle vision ne saurait être confondue avec la vulgate plus ou moins postmoderne qui exalte l'hybridation, ou avec une idée molle et trop facilement œcuménique du métissage. Car celle-ci paraît promouvoir les cultures du monde pour mieux les intégrer à une identité cosmopolite et à une multiculture globalisée, qui n'est trop souvent qu'un efficace argument de marketing. Or, il s'agit de rejeter tout à la fois un universel abstrait, figé en dogme, qui nie les différences réelles et les particularités historiques et spatiales, et un éclatement multiculturel qui finit par essencialiser les identités particulières, par pérenniser les séparations oppressives et les mises à l'écart qui font le jeu de la domination et de l'exploitation. Il est tout aussi vain de répéter que la société est *une*, si l'on ne fait que postuler une homogénéité démentie par toutes les évidences concrètes, que de se résigner à accepter une fragmentation qui la transforme en un puzzle de différences irréconciliables, se niant mutuellement.

On devrait au contraire cesser de penser un rapport exclusif entre droits individuels et droits collectifs, entre droits particuliers et droits universels ; car l'expérience zapatiste indique que l'affirmation de droits spécifiques des peuples indigènes s'accompagne d'une revendication de leur inclusion dans la nation mexicaine, sans oublier leur souci du destin commun de l'humanité. Ce qui est suggéré ici, c'est un dépassement des oppositions classiques, à travers l'affirmation d'appartenances emboîtées et articulées entre elles. Le mouvement zapatiste montre qu'on peut se revendiquer simultanément indigène, mexicain et partie intégrante de l'humanité. Bien entendu, il peut – et même il doit – se produire des heurts douloureux entre ces appartenances, dès lors qu'elles sont reconnues comme vecteurs de différences irréductibles par abstraction. Mais du moins doit-on cesser de postuler leur incompatibilité, pour s'efforcer de construire concrètement leur emboîtement. L'universel et le particulier apparaissent alors comme deux pôles séparés qu'il convient d'articuler par un intense travail de conciliation de différences assumées. La reconnaissance des différences est donc le point de départ obligé, avant d'élaborer à partir d'elles une nouvelle vision de l'humanité, à la fois une et plurielle, égale parce que différente.

Les textes zapatistes ne proposent pas d'exalter une individualité négatrice des solidarités sociales et des exigences collectives, ni de magnifier une communauté oublieuse de la dignité personnelle et des destinées singulières. Face à l'individualité falsifiée du monde de la marchandise, ils revendiquent tout à la fois le souci de l'individuel, source de diversité constitutive de l'humanité, et l'importance du communautaire, que l'on peut considérer avec certaines précautions comme la vraie nature de l'homme. Se profile ainsi l'esquisse d'une nouvelle communauté qui puisse s'articuler à l'existence de sociétés complexes, le projet d'une nouvelle expérience collective qui ne nie pas les libertés individuelles, mais sans reproduire une individualité moderne exaltée sans limites au point de s'autodétruire et de sombrer dans les délires de la toute-puissance ou les faux-semblants de solitudes dépressives. Une voie pourrait consister à assumer la rédemption des liens interindividuels caractéristiques des formes communautaires, en les sauvant de l'enfer du localisme exclusif et du lien forcé au sol, pour les associer au contraire aux possibilités de mobilité, de libre choix et de multi-appartenance désormais à notre portée. Du moins semble-t-il que les zapatistes pointent du doigt de telles pistes, lorsqu'ils suggèrent que la notion de communauté se réfère tout autant à des solidarités concrètes associées à une expérience singulière des lieux qu'à la communauté imaginaire d'une unité planétaire du genre humain.

Le passé et le futur se rejoignent ; les particularités locales et l'aspiration à l'universalité humaine se tendent la main ; l'individuel et le collectif cessent de s'exclure mutuellement : les communautés en résistance nous invitent à dépasser ces oppositions que la modernité occidentale croit irréconciliables. Elles nous l'enseignent parce que, malgré les souffrances accumulées, ces communautés luttent pour exister sans pour autant se laisser enfermer ni dans le rêve ressassé de leur passé, ni dans les limites étroites de leur espace localisé. La meilleure part d'elles-mêmes lutte pour l'autonomie, mais non pas l'autarcie fondée sur le sectarisme jaloux d'une Identité qui n'est que le nom doré de la réserve dans laquelle la domination entend les enfermer. La meilleure part d'elles-mêmes revendique la force de la coutume, mais la coutume sans cesse réinventée et non la tradition conservatrice, fallacieux déguisement de tous les caciquismes. De ce rappel de la nécessaire localisation de l'expérience humaine, de ce rappel d'un temps qui prend le temps et d'un passé chargé de promesses, renaît, à la rencontre des désillusions de la modernité, le projet de réinventer le monde.

Bibliographie sommaire

Documents zapatistes

Textes et communiqués de l'Ezln : *Ya basta !*, Paris, Dagorno, 2 vol., 1994-1996 (édition espagnole, avec prologue de A. García de León, *Ezln. Documentos y comunicados*, Mexico, Era, 3 vol., 1994-1997 ; ainsi que *La palabra de los armados de verdad y fuego*, Mexico, Fuenteovejuna, 2 vol., 1994-1995). Il existe différents recueils thématiques de ces textes, y compris les plus récents non édités par ailleurs : *Los relatos del Viejo Antonio*, San Cristóbal de Las Casas, CIACH, 1998 (traduction française partielle : sous-commandant Marcos, *Contes mayas*, Paris, L'esprit frappeur, 2001) ; *Don Durito de la Lacandona*, San Cristóbal de Las Casas, CIACH, 1999 (prologue de José Saramago) ; *La revuelta de la memoria. Textos del subcomandante Marcos y del Ezln sobre la historia*, San Cristóbal de Las Casas, CIACH, 1999. Voir aussi *Chroniques intergalactiques. Première rencontre intercontinentale pour l'humanité et contre le néolibéralisme*, Paris, Aviva Presse, 1997 (éd. espagnole, Mexico, Planeta Tierra, 1996). On se réfère également au sous-commandant Marcos, «La quatrième guerre mondiale a commencé», *Le Monde diplomatique*, août 1997 (et «Le fascisme libéral», *ibid.*, août 2000, version abrégée de *Oxímoron ! La derecha intelectual y el fascismo liberal*, avril 2000), ainsi qu'à la vidéo réalisée le 24 octobre 1994 par C. Castillo et T. Brisac (diffusée par

Arte le 8 mars 1995 sous le titre « La véridique légende du sous-commandant Marcos » ; texte espagnol édité dans *Discusión sobre la historia*, Mexico, Taurus, 1995, p. 131-142). Dernièrement, voir *Marcos. La dignité rebelle* (Conversations de I. Ramonet avec le sous-commandant Marcos), Paris, Galilée, 2001 ; *La Marcha del color de la tierra*, Mexico, Rizoma, 2001, et *La Fragile Armada. La marche des zapatistes*, Paris, Métailié, 2001 (sans doute la plus heureuse introduction aux textes zapatistes disponible à l'intention des lecteurs français ; avec des contributions de J. Blanc, J. Hocquenghem, Y. Le Bot et R. Solis).

NB : compte tenu de la diversité des éditions disponibles, on indique dans le texte de ce livre uniquement la date des textes cités, qui permet de les retrouver aisément dans leurs diverses éditions (on utilise par ailleurs l'abréviation « V » pour la vidéo mentionnée ci-dessus, « DR » pour l'interview de I. Ramonet, et « RZ » pour le livre d'Y. Le Bot indiqué ci-dessous).

Textes généraux sur le mouvement zapatiste et ses antécédents

Principalement : Y. Le Bot, *Sous-commandant Marcos. Le rêve zapatiste*, Paris, Seuil, 1997 ; et son essai « Chiapas : malaise dans la mondialisation », *Les Temps modernes*, janvier-février 2000, 607, p. 220-241 ; A. García de León, *Resistencia y utopía*, Mexico, Era, 2 vol., 1985 ; A. Monod, *Feu maya : le soulèvement au Chiapas, Ethnies*, 16-17, Paris, Survival International France, 1994 ; *Depuis les montagnes du Sud-Est mexicain*, Paris, L'Insomniaque, 2 vol., 1994-1996 ; J. P. Viqueira et M. H. Ruz (dir.), *Chiapas. Los rumbos de otra historia*, Mexico, UNAM-CIESAS, 1995 ; N. Arraitz, *Tendre venin*, Paris, Éd. du Phéromone, 1995 ; X. Leyva Solano et G. Ascencio Franco, *Lacandonia al filo del agua*, Mexico, FCE, 1996 ; G. Rovíra, *Zapata est vivant*, Paris, Reflex, 1996 ; A. Gilly, *Chiapas. La razón ardiente*, Mexico, Era, 1996 ; C. Montemayor, *Chiapas : la rebelión indígena de México*, Mexico, J. Mortiz, 1997 ; F. Matamoros Ponce, *Mémoire et utopie au Mexique. Mythes, traditions et imaginaire indigène dans la genèse du néozapatisme*, Paris, Syllepse, 1998 ; C. Lenkersdorf, *Les Hommes véritables. Paroles et témoignages des Tojolabales*, Paris, Ludd, 1998 ; J. Womack, *Chiapas, el opispo de San Cristóbal y la revuelta zapatista*, Mexico, Cal y Arena, 1998 ; N. Harvey, *La rebelión de Chiapas. La lucha por la tierra y la democracia*, Mexico, Era, 2000. On consultera aussi avec profit tous les numéros de la revue *Chiapas*, Mexico, Era-UNAM (10 numéros parus de 1995 à 2000).

On a à peine évoqué dans ce livre le rôle pourtant si important des femmes zapatistes ; on pourra pallier cette déficience en se référant à G. Rovíra, *Mujeres de maíz*, Mexico, Era, 1997 ; R.A. Hernández Castillo (dir.), *La otra palabra. Mujeres y violencia en Chiapas antes y después de Acteal*, Mexico, CIESAS, 1998 ; E. Stutz, *Irma, femme du Chiapas*, Paris, L'Esprit frappeur, 1998 ; J. Falquet, «Les femmes indiennes et la reproduction culturelle : réalités, mythes, enjeux. Le cas des femmes indiennes du Chiapas, Mexique», *Cahiers des Amériques latines*, n° 13, Paris, IHEAL.

Enfin, on mentionnera quelques livres qui ne correspondent nullement à la perspective développée ici, mais dont on peut extraire des informations utiles : C. Tello Díaz, *La rebelión de las Cañadas*, Mexico, Cal y Arena, éd. révisée, 2000 ; M. C. Legorreta Díaz, *Religión, política y guerilla en las Cañadas de la Selva Lacandona*, Mexico, Cal y Arena, 1998 et, quoi qu'il en coûte de citer un auteur qui ne s'est guère distingué par son honnêteté journalistique, B. de La Grange et M. Rico, *Sous-commandant Marcos, la géniale imposture*, Paris, Plon-Ifrane, 1998. On retrouvera des positions de ce type dans les articles de la revue *Letras libres*, dirigée par E. Krauze. Enfin, une critique également brutale, mais d'une tout autre orientation, est formulée dans S. Deneuve, M. Geoffroy et C. Reeve, *Au-delà des passe-montagnes du Sud-Est mexicain*, Paris, Ab Irato, 1996.

Références particulières aux différents chapitres

Prologue

Pour les antécédents du zapatisme et l'histoire des mouvements sociaux au Chiapas, voir les livres déjà cités de A. García de León, X. Leyva Solano, C. Montemayor, N. Harvey, ainsi que A. García de León, « La vuelta del Katún (Chiapas a veinte años del Primer Congreso Indígena) », *Chiapas,* 1, 1995, p. 127-147, J. González Esponda et E. Pólito Barrios, « Notas para comprender el origen de la rebelión zapatista », *ibid.,* p. 101-123 et J. González Esponda, « Mouvement paysan : du congrès indigène à l'insurrection zapatiste », *Cahiers du CELA-IS* (Bruxelles), 9, 1998, p. 39-56. Les principaux récits par Marcos de l'évolution du mouvement zapatiste se trouvent dans Y. Le Bot, *Le Rêve zapatiste,* et T. Brisac et C. Castillo (V). La vision contraire dans C. Tello, M. C. Legorreta, B. de La Grange. Pour la relation entre théologie de la libération et mouvements sociaux, M. Löwy, *La Guerre des dieux. Religion et politique en Amérique latine,* Paris, Éd. du Félin, 1998.

Chapitre I

Sur la conception guévariste de la guérilla, E. Guevara, *La guerra de guerrilla,* La Havane, 1960 et M. Löwy, *La Pensée de Che Guevara,* Paris, Maspero, 1970. Sur les conceptions zapatistes de la politique, P. Nolasco, « Cambio político, estado y poder : un acercamiento a la posición zapatista », *Chiapas,* 5, 1997, p. 47-73. Sur les principes zapatistes et notamment le *mandar obedeciendo,* A. E. Ceceña, « La resistancia como espacio de construción del nuevo mundo », *Chiapas,* 7, 1999, p. 93-114, ainsi que C. Lenkersdorf, *Les Hommes véritables, op. cit.* Sur l'idée zapatiste de la révolution, J. Holloway, « La revuelta de la dignidad », *Chiapas,* 5, 1997, p. 7-40. Pour les remarques relatives à la révolution mexicaine, A. Gilly, *La Révolution mexicaine. 1910-1920,* trad. fr., Paris, Syllepse, 1995. Sur le débat Marcos-Gilly-

Ginzburg, *Discusión sobre la historia,* Mexico, Taurus, 1995, et mes commentaires dans «(Re) discutir sobre la historia», *Chiapas,* 10, 2000, p. 7-40. Pour les conceptions de la révolution et de l'avant-garde chez Marx et Lénine, M. Löwy, *La Théorie de la révolution chez le jeune Marx,* Paris, Maspero, 1970. Pour une critique des formes léninistes du marxisme, K. Korsch, *Escritos políticos,* Mexico, Folios, 2 vol., 1982 (les *Dix Thèses sur le marxisme aujourd'hui,* datées de 1950, sont aux pp. 493-495). La citation de l'épigraphe se trouve dans *I.S.,* 8, 1963, réédition Paris, Fayard, 1997, p. 344.

Chapitre II

Outre les principales références déjà citées, on se réfère particulièrement dans ce chapitre à D. Bensaïd, *Marx l'intempestif, op. cit.* ; A. Gorz, *Adieux au prolétariat,* Paris, Galilée, 1980, et *Misères du présent, richesse du possible,* Paris, Galilée, 1997 ; M. Löwy et R. Sayre, *Révolte et mélancolie. Le romantisme à contre-courant de la modernité,* Paris, Payot, 1992 ; M. Löwy, *La Pensée de Che Guevara, op. cit.* ; G. Lukács, *Histoire et conscience de classe,* Paris, Minuit, 1960 ; *Discours préliminaire* de *l'Encyclopédie des nuisances,* Paris, 1984 ; J. Holloway, «La revuelta de la dignidad», article cité. La dernière citation se trouve dans *I.S.,* 8, *op. cit.,* p. 327.

Chapitre III

Ce chapitre reprend un texte collectif (Colectivo Neosaurios, «La rebelión de la historia», *Chiapas,* 9, 2000, p. 7-33), ainsi que certains aspects de mon article «L'histoire face au présent perpétuel. Quelques remarques sur la relation passé/futur», dans Fr. Hartog et J. Revel (éds), *Les Usages politiques du passé,* Paris, Éd. de l'EHESS, 2001 («Enquête»), p. 55-74. Voir également E. Rajchenberg et C. Héau-Lambert, «Historia y simbolismo en el movimiento zapatista», *Chiapas,* 2, 1996, p. 41-57. Sur les conceptions indigènes du temps, E. Florescano, *Memoria mexicana,* Mexico, FCE, 2ᵉ éd., 1994 et A. García de León, «Indispensable la teoría que los pueblos indígenas tienen de la historia», *El financiero,*

3 mai 1998 (et sur Votán, « La vuelta del Katún », article cité).
S'agissant de E. Hobsbawm, on renvoie à son livre *Primitive
Rebels. Studies in Archaic Forms of Social Movement in the
19th and 20th Centuries*, New York, Norton Library, 1959 et
au commentaire de M. Löwy, « Du capitaine Swing à Pancho
Villa. Résistances paysannes dans l'historiographie d'Eric
Hobsbawm », *Diogène*, 2000, 189, p. 3-13. Sur les conceptions
de l'histoire chez Marx, on se réfère à D. Bensaïd, *Marx l'intempestif, op. cit.* Pour la lettre à Vera Zassoulitch, voir les
commentaires du même auteur et l'ensemble du dossier tex-
tuel dans K. Marx y F. Engels, *Escritos sobre Rusia. II. El por-
venir de la comuna rural rusa*, Cuadernos de Pasado y Pre-
sente, 90, Mexico, 1980. Sur la théorie stalinienne des cinq
phases de l'histoire humaine, M. Godelier, *Sur les sociétés
précapitalistes*, Paris, Éditions sociales, 1970. Sur W. Benjamin, voir ses *Thèses sur la philosophie de l'histoire*, dans
Essais 2, Paris, Denoël, 1983, ainsi que les commentaires
de G. Agamben, *Enfance et histoire*, Paris, Payot, 1989, de
D. Bensaïd, *op. cit.* et de M. Löwy, « Romantisme, messia-
nisme et marxisme dans la philosophie de l'histoire de Walter Benjamin » (sous presse, texte qui reprend la notion de
« romantisme révolutionnaire » développée dans *Révolte et
mélancolie, op. cit.*).

Chapitre IV

Sur le contexte général de développement des mouvements indigènes et la « question indienne » au Mexique et en
Amérique latine, Y. Le Bot, *Violence de la modernité en Amérique latine. Indianité, société et pouvoir*, Paris, Karthala,
1994. Sur les politiques indigénistes, H. Favre, *L'Indigénisme*,
Paris. Sur la demande d'autonomie, H. Díaz-Polanco, *La rebelión zapatista y la autonomía*, Mexico, siglo XXI, 1997 ;
L. Hernández Navarro et R. Vera Herrera (éds), *Acuerdos de
San Andrés*, Mexico, Era, 1998 et Y. Le Bot, « Les zapatistes,
l'autonomie et la nation », *Espace de libertés*, 259, mars 1998,
p. 12-14. Sur l'expérience des municipes autonomes,
A. López Monjardin et D. M. Rebolledo Millán, « Los muni-
cipios autónomos zapatistas », *Chiapas*, 7, 1999, p. 115-134.

Sur la logique de globalisation/fragmentation, D. Bensaïd, *Le Pari mélancolique*, Paris, Fayard, 1997. Sur la logique humaine du lieu, A. Berque, *Être humains sur la terre. Principes d'éthique de l'écoumène*, Paris, Gallimard, 1996. Pour une discussion sur la communauté indigène, J.-P. Viqueira, « La comunidad india en México en los estudios antropológicos e históricos », *Anuario del Centro de Estudios Superiores de México y Centroamérica*, Tuxtla Gutiérrez, 1994 ; L. Carlsen, « Autonomía indígena y usos y costumbres : la innovación de la tradición », *Chiapas*, 7, 1999, p. 45-70 ; A. Paoli, « Comunidad tzeltal y socialización » *ibid.*, p. 135-161 et, pour une vision idéalisée et soumise à discussion, C. Lenkersdorf, *Les Hommes véritables, op. cit.* (et pour une réflexion générale sur les transformations historiques des formes communautaires, M. Godelier, *Sur les sociétés précapitalistes, op. cit.*). On se réfère à M. Horkheimer et Th. Adorno, *La Dialectique de la raison*, Paris, Gallimard, 1974.

Table

INTRODUCTION : LE MOMENT DU ZAPATISME .   9

PROLOGUE : BRÈVES REMARQUES SUR LE PRO-
CESSUS FORMATIF DE L'EZLN   21

Les origines du mouvement social au Chiapas ..   21
La formation de l'*Ejército zapatista de liberación
nacional*   30
1994-2000 : du soulèvement à la résistance   37
2 décembre 2000 : une nouvelle étape commence ?   42

I UNE CRITIQUE EN ACTE DES RÉVOLUTIONS PAS-
SÉES   49

Critique du guévarisme   50
Critique du léninisme   65
Critique (inaboutie) du marxisme   90

II LA LUTTE POUR L'HUMANITÉ ET CONTRE LE
NÉO-LIBÉRALISME   100

La critique du néolibéralisme   102
La lutte pour l'humanité   113
Qu'est-ce que l'humain dans l'expérience zapa-
tiste ?   134

III LA RÉVOLTE DE LA MÉMOIRE (Vers une nouvelle grammaire des temps historiques?) 155

L'histoire comme légitimation de la lutte politique 156

L'histoire face au présent perpétuel néolibéral .. 174

IV AUTONOMIE DES LIEUX ET NOUVEL UNIVER-
SALISME (Vers une nouvelle conception de la spatialité?) 204

Revendications indigènes et autonomie 205

Entrelacer l'ethnique, le national et l'international 224

Individu, communauté et universalisme 243

CONCLUSION 265

BIBLIOGRAPHIE 277

Impression réalisée sur CAMERON par

BUSSIÈRE CAMEDAN IMPRIMERIES

GROUPE CPI

à Saint-Amand-Montrond (Cher)
pour le compte des Éditions Denoël
en janvier 2002

N° d'édition : 06448. — N° d'impression : 16989-015616/1.
Dépôt légal : février 2002.

Imprimé en France